Sylvie
préfère Roméo

LES AVENTURES DE SYLVIE

Sylvie
préfère Roméo

René Philippe

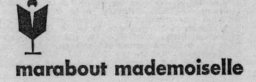

marabout mademoiselle

ÉDITION ORIGINALE.

© 1963 by Editions Gérard & Cᵒ, Verviers.

La photo de la page 4 de couverture a été obligeamment
prêtée par les Services Officiels Français du Tourisme.
(Photo L. Viguier.)

Le présent récit étant une œuvre de pure fiction, toute
ressemblance avec des personnes vivantes ou décédées
serait due au seul hasard. ● Les collections Marabout
sont éditées et imprimées par GERARD & Cᵒ, 65, rue de
Limbourg, VERVIERS (Belgique). ● Le label Marabout,
les titres des collections et la présentation des volumes
sont déposés conformément à la loi. ● Correspondant
général à Paris : L'INTER, 118, rue de Vaugirard,
Paris VIᵉ. ● Gérant exclusif et distributeur général pour
les Amériques : KASAN Lée, 226, EST, Christophe Colomb, Québec, P.Q. (Canada). ● Distributeur en Suisse :
Editions SPES, 1, rue de la Paix, Lausanne.

1

Gambier bâilla, soupira, s'étira avec un air d'indicible volupté. Puis il vida d'un trait son verre de pastis et se cala confortablement dans le fauteuil d'osier, mains nouées derrière la nuque. Un sourire satisfait flottait sur ses lèvres. Il vit que Sylvie l'observait et leva le sourcil droit :

— Qu'as-tu à me reluquer comme ça ?

— Mais rien, mon chéri.

Son sourire s'accentua :

— Tu me trouves beau ?

Elle hocha la tête :

— Non ! Pour ne rien te cacher, je me livrais à de vagues méditations sur le comportement de l'homme en vacances.

— Et alors ?

— Alors, c'est très instructif et — comment dire ? — prodigieusement pittoresque. Primo, l'homme en vacances cesse d'être un individu civilisé : il se vêt d'oripeaux, bâille sans mettre la main devant la bouche, émet sans retenue de bruyants soupirs incongrus, prend toutes sortes de poses aussi saugrenues qu'inélégantes et boit comme un trou. Secundo, l'homme en vacances se découvre le plus souvent une irrésistible passion : celle de la photo artistique. De l'aube au crépuscule, infatigable, il fixe sur la pellicule sites caractéristiques, ruines romaines, fleurs étranges, monuments... et c'est tout à fait par hasard si, toujours, de jolies filles en maillot de bain passent justement par-là !

Gambier, amusé, leva une main molle :

— Je proteste ! Ce n'est pas parce que — et par hasard, précisément...

Elle l'interrompit :

— Silence ! je parle... Tertio, l'homme en vacances donne sans réserve libre cours à l'égoïsme féroce de son espèce. Sa gentille petite femme souhaite-t-elle visiter une église, faire une promenade, explorer la région ? Bernique ! L'homme en vacances feint la plus profonde surdité. Vautré sur le sable, transformé en caillou, immobile et muet, il s'abandonne ignominieusement à sa paresse congénitale. Quarto, l'homme en vacances, retourné ainsi à son état primitif et naturel, est un monstre d'avarice sordide. Sa gentille petite femme a-t-elle envie d'un petit souvenir, d'un petit foulard, d'une de ces petites choses insignifiantes qui sont le sel de la vie ? Bernique ! L'homme en vacances, qui n'a pas hésité à s'offrir, le matin même, le plus coûteux des fusils sous-marins, gémit qu'il n'a pas le sou, qu'on l'exploite, qu'on le pressure, qu'on le fera mourir ! Quinto...

Mais Gambier, atterré, avait fermé les yeux. Sylvie éleva la voix :

— Tu dors, grand lâche ?

— Non. Je feins la plus profonde surdité ! Comment peux-tu tant parler ? On devrait voter une loi qui obligerait la femme en vacances à se taire ! Surtout quand c'est pour énoncer de tels mensonges...

— Mettons que j'exagère un tantinet. Rien d'étonnant à cela : après tout, on n'est pas bien loin de Marseille ! Et puis ce pastis... houtch ! c'est traître comme tout, ce truc-là !

Gambier fit l'effort de tourner la tête vers elle :

— Soûle ?

— Non... l'impression qu'il me pousse des ailes, simplement ! C'est marrant, tu sais. Philippe Gambier, je t'adore !

Du coup, une lueur inquiète passa dans les yeux de Gambier.

— Dis donc, chérie, si tu allais te coucher ?

— Me coucher, moi ? penses-tu ! Je n'ai jamais été aussi éveillée ! Je te parie tout ce que tu veux que... hoûoûatch ! ah la la !...

Elle bâillait elle-même de tout son cœur, soudain, à se décrocher la mâchoire ; puis elle se mettait à rire.

— Marrant, te redis-je ! Quelle est cette mollesse qui tout à coup m'amollit ? Silence, époux ! Regardez la mer, la mer immense et toujours recommencée, comme disait l'autre, et taisez-vous...

Elle se taisait, fermait à demi les yeux, se laissait bercer par cette ivresse douce et légère qui était en elle. Aussi par la tiédeur parfumée, capiteuse, de l'exquise nuit méditerranéenne...

Depuis deux jours, Sylvie et Gambier savouraient à Saint-Aygulf de paisibles vacances. Ils avaient décidé cette année de partir seuls, laissant les jumeaux à Ariennes, sous la garde vigilante de Mme Renaud et d'Alphonse. Les moucherons, d'ailleurs, étaient ravis : alors que le soleil du Midi les accablait, ils trouvaient dans la grande forêt ardennaise de multiples sources de joie. Sans compter que leur grand-mère, bien sûr, incapable de résister à leurs astuces, les gâtait effroyablement. Amusement des enfants, tranquillité des parents... Sylvie et Gambier, rassurés sur le sort de leur turbulente progéniture, goûtaient le plaisir de se retrouver seuls, comme des amoureux. Ils s'étaient installés au Prince d'Orange, un hôtel confortable niché sur la colline et offrant, sur la baie de Saint-Raphaël, une vue admirable. C'était un petit hôtel intime, accueillant, sans luxe tapageur. On y avait un peu l'impression d'être les invités du patron. Un bonhomme sympathique, d'ailleurs, le père Mougnasse ! Rond comme une bille, chauve comme un caillou, avec de gros yeux toujours mi-étonnés, mi-furibonds, une formidable voix tonitruante et un incroyable accent méridional. Il trônait à la cuisine et pas un, comme lui, ne savait réussir la bouillabaisse.

— Alors, ma petite dame, il vous plaît, mon festin ? Avouez-le : c'est comme si le Bon Dieu vous donnait le biberon, non ?

Il surgissait devant vous, le visage congestionné, les mains sur les hanches, vêtu d'un immense tablier blanc qui lui tombait jusqu'aux pieds. Sylvie se hâtait d'approuver :

— Un délice, père Mougnasse !

— Pardi ! Ça vous donnera quelques rondeurs... et ça ne vous fera pas de mal, té !

Sylvie, qui se passait fort bien de ces rondeurs-là, se gardait toutefois de protester. C'était d'autant plus amusant que Mme Mougnasse, quant à elle, était maigre comme un clou. Courant de-ci, courant de-là, trottinant sans relâche dans les escaliers et les couloirs, elle déployait une incessante activité de fourmi.

— Faut qu'elle remue, expliquait son mari. Elle a la bougeotte. Comment que vous voulez qu'elle fasse de la graisse ? Une vraie sauterelle, je vous jure... Bah ! elle et moi, ça fait une bonne moyenne, non ?

Sa femme, aussi silencieuse qu'il était bavard, se con-

tentait de sourire. En fait, en dépit de son apparence
effacée, c'est elle qui dirigeait l'hôtel, avait l'œil à tout
et menait par le bout du nez son Mougnasse de mari. Il
y avait aussi Magali, leur fille. Elle était jolie, mais
oui, comme un cœur ! D'immenses yeux noirs et une bouche menue, charnue, rouge comme une cerise. Bronzée
comme une gitane, avec de longs cheveux couleur de
nuit qui ruisselaient sur ses épaules. Avec un ravissant
petit nez droit, espiègle ; et une démarche dansante de
gazelle... Quand elle riait, de son grand rire clair encore enfantin qui découvrait ses dents très blanches, on
avait l'impression qu'une source jaillissait, fraîche et
pure, lumineuse. Elle avait dix-huit ans et venait de terminer ses études à Aix-en-Provence. Gambier l'avait dé-
couverte le lendemain de son arrivée, et de la façon la
plus extravagante. Il avait décidé de photographier la
porte arrière de l'hôtel, qui ouvrait sur le jardin. Il faut
dire que c'était une porte assez caractéristique : prove-
nant d'une ancienne abbaye, elle était taillée, en plein
chêne, de figurines grimaçantes. Armé de son Kodak,
donc, Gambier ce matin-là calculait distance, diaphrag-
me et indices de luminosité. Gambier n'est pas un mordu
de la photo, loin s'en faut. Il reste des mois, voire des
années, sans même y songer. Puis ça lui reprend d'un
coup. Brusquement et tout entier, à la manière d'une
rougeole. Pendant huit ou quinze jours, il est sincèrement convaincu de sa vocation artistique. Il photographie tout. Sylvie, les fleurs, les vieux pêcheurs, les petits bateaux, les oursins, les enfants et même les portes,
comme on sait déjà. Mais il ne photographie pas comme
tout le monde. Lui, il fignole. Il cherche des angles
inédits, des éclairages savants, des effets personnels. Cela
l'oblige à prendre des poses très inconfortables, à se livrer à une sorte de yoga compliqué qui intrigue toujours beaucoup les gens. Gambier n'en a cure. Les artistes sont au-dessus de cela et les imbéciles qui sourient

n'empêchent pas Picasso d'être Picasso... En général, cependant, Gambier rate neuf photos sur dix. C'est toujours trop clair ou trop sombre, trop net ou trop flou, trop ceci ou pas assez cela. Pourquoi ? C'est un grand mystère. Gambier en déduit que son matériel n'est pas à la hauteur de ses talents et que, bientôt, il achètera un appareil perfectionné. Sylvie, elle, est persuadée qu'il ne sait pas se servir du sien. C'est toutefois une opinion qu'elle garde soigneusement pour elle, sachant d'expérience que Gambier se hâtera d'oublier la photo et qu'il est inutile, dès lors, de s'inquiéter. Mais revenons à nos moutons, c'est-à-dire à notre porte sculptée. Après une demi-heure d'essais, de calculs et de re-calculs, Gambier, enfin satisfait, tenait son cadrage. Il ne lui restait qu'à faire clic. A plat ventre sur le gravier rouge du chemin, l'œil collé au viseur et le cou bizarrement tordu, il fit clic... au moment précis où la porte s'ouvrait pour livrer passage à une Magali bondissante, joliment moulée dans un éblouissant maillot jaune canari. Elle s'arrêta net, médusée.

— Oh ! fit-elle, je vous demande pardon !

Gambier, tout aussi médusé, resta là, à plat ventre sur le sol, dix bonnes secondes. Il avait l'air si ahuri que la jeune fille, soudain, partit d'un grand éclat de rire. Il se mit à rire aussi, se releva.

— Ce sera sûrement une très bonne photo, dit-il, galant. Vous êtes à l'hôtel ?

— Plutôt ! je suis la fille de la maison ! Attendez, je referme la porte... Excusez-moi encore !

Elle avait couru vers la mer. Gambier, amusé, avait raconté l'incident à Sylvie et c'est depuis qu'elle l'accusait de photographier exprès toutes les jolies filles qu'il rencontrait...

On voyait au loin scintiller les lumières de Saint-Raphaël. On entendait faiblement ronfler les moteurs des voitures. Le parfum des mimosas flottait dans l'air léger. Dans le jardin, les cigales faisaient leur étrange cri sec.

— C'est tout de même vrai, murmura Sylvie, que c'est le pays du Bon Dieu... Quelle paix, quelle douceur... Je me sens devenir un ange !

— Tu es décidément soûle, répondit Gambier. Bois encore un petit coup, mon ange, et tu te prendras pour sainte Sylvie en personne !

Elle haussa les épaules :

— Pourquoi pas ? ne faut-il pas être une sainte pour vivre avec toi ?

— Il y a cinq minutes à peine, tu me disais que tu m'adorais ?

— Justement, c'est là mon drame ! Je t'adore et je te déteste de t'adorer, parce que si je ne t'adorais pas, je me sentirais libre de pouvoir adorer toutes les autres choses adorables ! Tu piges ? Non, je vois à ton air intelligent que tu ne piges pas. Je vais t'expliquer...

— Non ! protesta Gambier, je te jure que j'ai compris. Ce qui est d'ailleurs merveilleux, avec toi, c'est la façon claire dont tu exprimes des idées claires... surtout après le second pastis !

Il la regarda, sourit avec attendrissement. Elle lui adressa un petit clin d'œil comique et lui envoya, du bout des lèvres, un petit baiser. Vêtue d'une robe blanche très simple qui mettait en valeur sa peau déjà bronzée, elle était fraîche et jolie. « Une jeune fille, pensa Gambier, une vraie gamine, par moment... Ce n'est pas possible, elle doit avoir un secret, un talisman ! »

— A mon tour de te poser la question, fit-elle : qu'as-tu à me reluquer comme ça ?

— Mais rien, ma chérie !

Elle rit :

— Bien essayé, monsieur ! Seulement avec moi, ça ne prend pas. Je sais exactement ce que tu penses.

— Ah oui ?

— Oui. Tu penses que tu me trouves mignonne !
Juste ou pas juste, honnêtement ?

Gambier se mit à rire à son tour :

— Juste ! Mais comment...

— Peuh ! ça, mon bon ami, c'est le fameux sixième
sens des femmes ! Sylvie voit tout, sait tout... Ainsi, je
sais tout aussi exactement ce que tu feras demain, toutes
affaires cessantes, après le petit déjeuner !

— Moi ? ça m'étonnerait, je n'en ai encore personnellement aucune idée...

— C'est pour cela que je vais te le dire, mon amour.
Tu prendras ta belle auto blanche, tu y installeras ta
mignonne petite femme et tu fonceras jusqu'à Saint-
Raphaël. Là, tu m'achèteras ce ravissant maillot bleu
ciel que nous avons vu ce matin !

— Mais...

— Chut ! je sais. Ce matin, tu étais plutôt réticent.
Mais je suis sûre que demain tu auras changé d'avis et
que tu m'obligeras à accepter ce maillot !

— Et pourquoi donc aurai-je, demain, changé d'avis ?

— Mais, Phil chéri, simplement parce qu'il n'y a que
les fous — comme chacun sait — qui ne changent pas
d'avis ; et que tu n'es pas fou du tout !

Gambier, accablé, leva les yeux au ciel. Comment
voulez-vous discuter avec une femme pareille ? Elle eût
fait, à coup sûr, un diplomate de génie. Elle ne se fâche
pas, ne trépigne pas, ne se plaint pas. Elle sourit. Elle
attend son heure. Et hop ! en deux coups de cuiller à
pot et au moment où vous ne vous y attendez plus du
tout, elle vous met tranquillement dans son sac... Bien
sûr qu'elle l'aura, son maillot ! D'ailleurs ce qu'elle ne
sait pas, malgré son sixième sens, c'est que Gambier de
toutes manières avait déjà décidé de le lui offrir...

— Pas fou, non, dit-il, mais d'une faiblesse qui m'é-
pouvante ! Tu as raison, l'amour, c'est... c'est...

— C'est merveilleux, Phil, c'est ce qui fait que la vie vaut d'être vécue...

Sa voix était devenue grave, soudain. Il se tourna vers elle et leurs yeux se prirent. Elle lui tendit la main. Il serra dans la sienne, doucement, cette petite main. Au-dessus d'eux, les étoiles brillaient, lumineuses, dans le ciel.

— Sylvie, dit-il.

Et un même immense et troublant bonheur, brusquement, prodigieusement, les étouffait.

— Alors, les amoureux, on rêve ?

La grosse voix du père Mougnasse ramena sur terre Sylvie et Gambier. Le bonhomme surgissait derrière eux, l'air réjoui, le crâne luisant dans l'ombre comme une bille de billard.

— Comment ne pas rêver dans ce pays de rêve ? dit Sylvie en riant. Asseyez-vous donc, monsieur Mougnasse.

Il s'assit lourdement, s'essuya le front.

— Pays de rêve, pays de rêve, grommela-t-il, c'est vous qui le dites, ma petite dame. Si vous deviez rester au fourneau toute la journée, comme moi, par cette chaleur d'enfer, vous changeriez d'avis...

Chaque fois qu'elle l'entendait parler, Sylvie devait faire un effort pour admettre qu'il était vraiment comme ça, qu'il avait vraiment — sans se forcer — cet accent-là. Elle avait l'impression d'être au cinéma. Mieux : que le père Mougnasse était installé là par le Syndicat d'initiative local, pour le plaisir des touristes.

— En somme, dit Gambier, on n'est jamais content de son sort. Nous, nous soupirons après le soleil et vous, après la pluie...

— Té ! faudrait pas exagérer, mais il y a du vrai dans ce que vous dites. Ainsi ma femme, tenez, son grand rêve serait de pouvoir se promener en manteau de fourrure ! Vous vous rendez compte ? Comment vous le trouvez, mon pastis ?

Il passait toujours ainsi, sans transition, du coq à l'âne. Il interpella le garçon occupé à ranger les chaises sur la terrasse :

— Hé ! le Louis, apporte-moi donc un verre, que je boive un coup.

Le Louis s'empressa d'obéir. C'était un petit noiraud aux cheveux crépus, timide, qui venait d'Arles. Il louchait vigoureusement et c'était gênant parce qu'on ne savait jamais au juste qui il regardait. Le père Mougnasse se servit un grand pastis, le huma avec délices, presque religieusement, but à petites gorgées expertes.

— Pas mauvais, appréciait-il. A mon âge, ces choses-là, ça compte ! Té, voilà mes Anglais qui reviennent... Bien le bonsoir, messieurs-dames !

« Ses » Anglais étaient des clients de l'hôtel. Un couple silencieux et digne, qui partait chaque matin à l'aube pour explorer la région et qu'on ne revoyait que le soir. Lui, raide, le teint brique, vêtu d'un blazer bleu et d'un pantalon de toile blanche, faisait songer à un colonel retraité de l'armée des Indes. Sa femme, une grande bringue osseuse au visage chevalin, portait un immense chapeau de paille agrémenté d'un flot de rubans roses. Elle avait un sourire mécanique, bref, qui découvrait deux dents en or.

— Good night ! firent ensemble Mr. et Mrs. Jones en inclinant la tête avec ensemble avant de disparaître dans le hall.

Le père Mougnasse hocha la tête :

— A croire qu'ils sont moulés tous dans le même moule, non ? fit-il. Ça rit seulement quand ça se brûle, cette espèce-là ! Bah ! il faut de tout pour faire un monde... Encore un petit pastis, madame Gambier ?

— Pas question ! protestait Sylvie, je vois déjà des mouches — et quand je vois des mouches, ça commence à être grave !

Le père Mougnasse se mit à rire :

— Des mouches ? ça n'est rien, ça... Mais quand vous

commencerez à voir voler des serpents à sonnettes, alors il faudra faire attention !

Un pas rapide et léger fit crisser le gravier. C'était Magali. En apercevant son père, elle marqua une imperceptible hésitation. Le père Mougnasse avait froncé ses gros sourcils broussailleux :

— C'est toi ? D'où que tu viens à cette heure ?

La jeune fille approcha. Elle était chaussée d'espadrilles, vêtue d'un blue-jean bleu pâle et d'un ample pull à rayures blanches et bleues.

— De Fréjus, expliqua-t-elle. Je devais voir Noëlle, tu sais, mon amie...

Elle se tourna vers Sylvie et Gambier.

— Bien le bonsoir, monsieur, madame... Vous avez pris beaucoup de photos, monsieur Gambier ?

Une lueur malicieuse glissa dans ses yeux.

— Ça va, dit Gambier en riant. J'ai porté le film au développement, on verra demain ce que ça donne. Magali vous a raconté la manière dont nous avons fait connaissance, père Mougnasse ?

— Non, dit l'hôtelier. Magali ne me raconte plus rien ; Magali est en colère contre moi ; Magali n'est plus la fille de son père.

Le visage de la jeune fille s'empourpra. Les larmes lui vinrent aux yeux.

— Je t'en prie, papa ! fit-elle.

Brusquement, elle se sauva en courant. Il y eut un silence. Gambier, embarrassé, se demandait ce qu'il avait bien pu dire qui avait provoqué cet incident. Sylvie, plus fine, déjà devinait un douloureux conflit entre le père et la fille. Puis le père Mougnasse haussa les épaules :

— Ah ! les enfants, quand ils grandissent, ça devient bien difficile... Vous verrez ça vous aussi. Elle était brave, pourtant, Magali. Elle m'aimait bien. Et voici maintenant qu'elle est quasiment une ennemie pour moi. C'est une pitié...

On sentait que le chagrin, soudain, l'avait envahi. Il hochait sa grosse tête ronde. Il soupirait.

— Tout s'arrange toujours, vous savez... dit Sylvie, émue.

— Le Bon Dieu vous entende, ma petite dame. Et pourtant, bon sang de bon sang, je sais bien que je lui fais de la peine, mais que j'ai raison ! Je vais vous dire...

D'un trait, il vida son verre, s'essuya la bouche du revers de la main.

— Je vais vous dire, oui. Tout a commencé l'été dernier, ça fait juste un an. Elle était revenue ici pour les grandes vacances. Elle sortait avec une bande d'amies et d'amis, de copains, comme ils disent. Tous les jeunes de la région. On connaît les parents. Pas de problèmes. La jeunesse, faut que ça remue, que ça chante et que ça rie, d'accord ! Puis voilà tout à coup que la Magali, elle se met à rêvasser, à prendre des mines graves... Cette petite, qu'elle me dit sa mère, je te parie, qu'elle est amoureuse. D'abord, ça m'a fait rire : Magali, cette cigale, amoureuse ? Pas possible. Ses petits, on ne se rend pas compte qu'ils grandissent. Puis les gens ont jasé. J'ai bien dû me rendre à l'évidence : elle était amoureuse, la folle !

Sylvie sourit :

— Vous n'avez jamais été jeune, père Mougnasse ? Une amourette, ce n'est pas bien grave...

— Hé ! justement, au début, c'est ce que je me suis dit. J'ai fait semblant de fermer les yeux. Mais comme cela continuait, j'ai pris mes renseignements. Figurez-vous qu'elle est allée s'enticher d'un bon à rien ! Un vagabond, quasiment ! Le fils de la mère Cervennes, une veuve qui tient un minable petit bistrot au bout du village. Le père est mort à la guerre. De braves gens, je ne dis pas le contraire, mais des sans-le-sou ! Pas question de ça pour la Magali, que je me suis dit, il est temps de couper court...

16

— Vous souhaitez qu'elle fasse un mariage d'argent ? demanda doucement Sylvie.

— Sûrement que non ! Mais dans la vie, il faut ce qu'il faut... Et ce n'est pas en épousant un gratteur de guitare qu'elle fera son bonheur !

— Un gratteur de guitare ?

— Hé oui ! Le garçon n'a qu'une idée : la musique. Et quelle musique ! Un vrai tintamarre... Vous savez cette cacophonie qu'on entend à la radio ? Ils appellent ça du twist, eux ! Une musique de nègres, quoi... A trois ou quatre, ils ont formé une sorte d'orchestre, et ils jouent dans les bars miteux de la Côte... Un gars comme ça, ça vous plairait pour votre fille, monsieur Gambier !

— Pas question ! dit Gambier, péremptoire.

— Vous me comprenez, continua le père Mougnasse. J'ai parlé gentiment à Magali. D'abord, tu es encore bien jeune, que je lui ai dit ; et puis ce garçon-là, vaudrait mieux l'oublier. Tout de suite, ç'a été la guerre. Une vraie tigresse ! Et butée comme une chèvre. C'est l'amour, qu'elle m'a dit. Et je préférerais mourir que de renoncer à lui, et il réussira, et patati et patata. Je vous jure, je n'en revenais pas ! J'ai dû me fâcher. J'ai dû lui interdire de le voir encore. Et maintenant c'est une vraie pitié. Elle rit et elle pleure. Elle est malheureuse et tout le monde est malheureux. Mais que voulez-vous que je fasse, moi ?

— Rien, dit Gambier. Il faut tenir bon. C'est pour son bien. Plus tard, elle vous remerciera...

Sylvie regarda Gambier.

— Peut-être, fit-elle. Dites-moi, père Mougnasse, vous le connaissez, ce garçon ?

— Un petit peu, oui. Oh ! il est bien mignon et gentil. Mais la vie n'est pas un air de guitare ! S'il avait un bon métier, on pourrait voir... Une misère, que je vous dis !

Il se leva avec effort.

— Je vous ennuie avec ces histoires, reprit-il. Bah !

ça finira bien par s'arranger, comme vous dites, madame Gambier... Allez, la bonne nuit et à demain !

Il s'en alla. Un moment, Sylvie et Gambier demeurèrent sans parler. La nuit était si douce qu'on n'avait pas envie d'aller se coucher. Un avion passa, haut dans le ciel, et on voyait palpiter ses feux rouges et verts.

— Ces grands gosses, dit Gambier, c'est vrai que ça pose de fameux problèmes. Tu imagines Virginie dans ce cas ?

— Oui, Phil, et ce ne serait pas drôle, en effet... Mais Magali n'est plus une gosse.

— Penses-tu ! Si tu l'avais vue lors de cette photo : une gamine. Et qui n'avait pas l'air malheureux, je te prie de le croire !

— Qui sait ? Elle rit parce qu'elle est jeune, parce qu'elle a en elle l'irrésistible joie de la jeunesse, mais...

— Mais quoi ?

— Mais cela n'empêche pas qu'en elle, sans doute, la femme souffre — et beaucoup.

Gambier haussa les épaules.

— Sans blague ? Méfie-toi, Sylvie : tu verses dans la littérature à l'eau de rose ! Toutes les femmes se ressemblent : dès qu'il est question d'amour, elles imaginent un beau roman déchirant, émouvant, bouleversant — qui toutefois finit toujours bien. « Ils se marièrent, furent heureux et eurent beaucoup d'enfants ». C'est ça ?

Il raillait.

— Tu ne crois pas à l'amour, Phil ?

Il la regarda avec stupeur :

— Mais... si, évidemment ! Je crois à l'amour vrai, solide, constructif. Ce n'est pas pareil...

— Pourquoi n'est-ce pas pareil ?

— Mais enfin, Sylvie, tu as bien entendu le père Mougnasse. Ce garçon est un bon à rien, un gratteur de guitare !

— Gratter une guitare est moins honorable que piloter un avion, Phil ?

— Non, évidemment. Mais enfin, il faut tout de même tenir compte des réalités ! Piloter un avion permet au moins de gagner sa vie !

— Tu crois que Johnny Halliday ne gagne pas sa vie ?

— Ne dis pas de sottises, fit Gambier, agacé, tu sais bien que c'est une exception. Pour un artiste qui réussit, il y a mille crève-la-faim ! L'amour, c'est bien joli, mais ça ne suffit pas...

Sylvie ne répondit pas. Bien sûr, Gambier avait raison, et le père Mougnasse aussi. D'ailleurs, même, quelle fille raisonnable et intelligente souhaiterait être la femme de Johnny Halliday, vivre une vie aussi agitée, aussi précaire ? L'amour a besoin de paix et de silence, de recueillement. L'amour est une fleur précieuse. Mais que sait-on de l'amour ? C'est un grand mystère. « L'amour, c'est bien joli, mais ça ne suffit pas... » Sans doute. Mais ceux qui ont tout, sauf l'amour, donneraient tout pour obtenir en échange un peu d'amour. « Magali, cette cigale ! » disait son père. Pauvre Magali ! L'amour est la chose la plus merveilleuse ou la plus déchirante, c'est selon. Oui, Gambier a raison, et le père Mougnasse aussi. Oui, il faut tenir compte des réalités. C'est la vie. Mais l'amour se moque bien, lui, des réalités de la vie ! La nuit est douce et le ciel est plein d'étoiles. Une grande paix heureuse veille tendrement sur le monde. Une grande paix heureuse... et dans sa chambre, là-haut sous le toit, Magali pleure. Magali, la petite fille qui apprend à souffrir comme une femme, parce qu'elle s'est mise à aimer impossiblement un gratteur de guitare...

Sylvie se sentit triste jusqu'à l'âme. Un beau roman qui finit bien... Pourquoi ne peut-il pas en être ainsi toujours ?

Magali, petite cigale, petite sœur douloureuse, je voudrais tant, moi qui te comprends, pouvoir t'aider...

— Viens, dit Sylvie, rentrons, j'ai froid.

Elle se leva. Elle se sentait vaguement en colère contre Gambier, contre le père Mougnasse, contre tous les
hommes de la terre ! Et puis zut ! après tout...

2

Le lendemain matin, comme prévu (prévu par Sylvie, s'entend !) Sylvie et Gambier filèrent jusqu'à Saint-Raphaël, afin d'y acheter ce fameux maillot bleu. « Pourvu, avait-elle pensé en s'éveillant, qu'il soit toujours là... » Par chance, il y était encore. Le seul ennui est qu'on eût pu, en forçant un peu, y glisser deux Sylvie.

— Marrant, dit Gambier, hilare, un maillot biplace !

Elle le foudroya du regard. La vendeuse, prudente, ravala son sourire.

— Peut-être madame veut-elle essayer d'autres modèles ?

Madame voulut. Elle en passa une bonne quinzaine. Gambier, effondré sur une chaise, n'avait plus du tout

21

envie de rire. Mais Sylvie voulait le bleu, ce bleu-là, et rien d'autre.

— Vous n'avez pas une taille en dessous. Vraiment pas ?

Finalement, la patronne de la boutique s'en mêla. Une femme énorme, avec une poitrine si volumineuse que Gambier pensa que jamais elle ne devait voir ses orteils. Mais là n'était pas la question. Devant le désespoir enfantin de Sylvie, la patronne se laissa attendrir. Elle disparut donner un mystérieux coup de téléphone et revint annoncer à Sylvie que son maillot serait là en fin d'après-midi. Sylvie, aussitôt, retrouva sa joie de vivre.

Ils quittèrent la boutique, flânèrent dans le rues de Saint-Raphaël. Une foule dense et colorée s'y pressait. Les voitures roulaient au pas, étincelantes sous le soleil.

— Quel grouillement ! fit Gambier, qui avait horreur de ça. Tu diras ce que tu voudras, mais je ne comprends pas pourquoi les gens...

Il se tut, constatant soudain que Sylvie n'était plus à côté de lui. Surpris, il se retourna. Elle était là, à quelques mètres, immobile, bouche bée. Un homme souriant s'inclinait devant elle. Gambier, surpris, s'approcha. L'homme se tourna vers lui.

— Bonjour, commandant ! Je suis ravi de vous voir...

Il était parfaitement élégant, désinvolte, d'une aisance de grand seigneur. Son visage était mince et bronzé. Ses tempes grisonnantes, aux reflets bleutés, lui conféraient un air d'aristocratie raffinée. Il parlait avec un très léger accent anglais presque imperceptible.

— Je vous demande pardon, dit Gambier, mais...

— Mais si, Phil, explosa tout à coup Sylvie, c'est le duc, le duc de Cherston, tu te souviens ? C'est un peu grâce à lui que nous avons pu nous marier ![1] Tu te souviens, Phil ?

---

[1] Voir *Sylvie se marie.*

— Ah ? fit Gambier. Je me souviens, oui, bien que jamais je n'aie eu encore le plaisir de vous rencontrer, monsieur, ni de vous remercier pour ce que vous avez bien voulu faire, naguère...

Le duc leva la main :

— Laissons cela, voulez-vous ? C'était d'ailleurs la moindre des choses... Me ferez-vous la joie d'accepter un rafraîchissement ?

Ils acceptèrent avec empressement, s'assirent à une terrasse, commandèrent un jus de fruits. Sylvie, médusée, ne quittait pas le duc des yeux ; le regardait avec une sorte d'incrédulité, comme s'il eût été un revenant.

Il se mit à rire :

— Madame Gambier, voulez-vous me pincer l'oreille, pour vous assurer que je suis bien vivant ? Ou ai-je changé à ce point ?

— Pas du tout ! Vous êtes exactement le même... Quel extraordinaire hasard ! Quand je pense qu'il y a déjà, attendez...

Elle se mit à compter mentalement. Le duc fit la grimace.

— Non, ne comptez pas, vous allez nous vieillir — et je me sens si terriblement jeune encore que ce serait dommage ! Vous, en revanche, vous avez beaucoup changé. Vous étiez jolie, vous êtes devenue ravissante...

Sylvie rougit, sourit faiblement.

— Savez-vous, monsieur Gambier, reprit le duc de Cherston, que j'étais alors un peu jaloux de vous ? Ah ! l'amour, l'amour, quel extraordinaire miracle, n'est-ce pas ? On court le monde, on fait de la politique et on a l'impression qu'on est tout-puissant, qu'on est un petit peu comme le Bon Dieu... Puis on rencontre une petite fille amoureuse, une petite Sylvie qui va se marier — et on comprend que la vérité, que la seule vérité, c'est l'amour. Vous avez des enfants ?

— Oui, dit Sylvie, deux ! Des jumeaux, Eric et Virginie. Vous savez, ils...

Elle se mit à bavarder gaiement, familièrement, comme avec un vieux copain. Le plus intimidé, c'était encore Gambier ! C'est que, pour lui, le duc de Cherston restait officiellement le duc de Cherston, c'est-à-dire un grand de ce monde, un de ces personnages presque de légende de qui on parle de temps à autre à la radio, lors des crises internationales, et sur qui les journaux, régulièrement, publient des reportages et des photos. Cette Sylvie, qui, pour un peu, lui tapait sur l'épaule ! Le duc riait, semblait s'amuser beaucoup. Il était à Nice, en vacances. C'est tout à fait par hasard que l'idée lui était venue, ce matin, de visiter Saint-Raphaël.

— Une chance ! dit Sylvie. Vous avez encore votre Cadillac ?

Il fit la moue :

— Quelle horrible voiture, n'est-ce pas ? Elle me fait toujours penser à un corbillard... Heureusement, elle ne sert que lors des cérémonies officielles. Non, j'ai loué à Nice une amusante petite Alfa et je serai heureux, si cela vous plaît, de... Excusez-moi.

Il se levait, faisait quelques pas vers un homme vêtu de noir qui lui parlait respectueusement. Il revenait presque aussitôt.

— Je vous demande pardon, il faut que je vous quitte. Même en vacances, vous voyez, Cherston est un pauvre homme ! Le travail, toujours le travail...

Il s'inclinait devant Sylvie, lui baisait la main :

— J'ai été très, très heureux de vous revoir, madame. Je vous souhaite tout le bonheur du monde...

Il se tournait vers Gambier :

— A vous aussi, commandant. Le Ciel vous garde, tous les deux...

Il faisait un bref signe de tête et s'en allait d'un pas rapide, suivi de l'homme noir qui, entre-temps, avait réglé les consommations.

— Le duc de Cherston, murmura Sylvie, tu te rends

compte, Phil ? Un vrai miracle de le retrouver ici. Comment le trouves-tu ?

— Terriblement séduisant !

Elle sourit :

— N'est-ce pas ? Il est l'homme le plus racé que j'aie jamais connu, et aussi le plus exquisement courtois. Quand on ne le connaît pas, on le trouve glacial, hautain et méprisant. C'est un genre qu'il se donne ! Au fond, tu as vu, il est la simplicité même... Dommage qu'il soit parti si vite, je parie qu'il allait nous inviter...

— Tu sais, chérie, c'est sans doute mieux ainsi. Il est sympathique, c'est vrai. Mais il doit être entouré d'une bande de snobs pleins aux as auprès de qui nous ferions figure de pouilleux !

— Oui, dit rêveusement Sylvie, tu as raison. C'est mieux comme ça. Quelle journée : mon nouveau maillot, le duc de Cherston... hourrah ! la vie est belle ! Viens, Philippe Gambier, on va se baigner. Où as-tu garé ta Cadillac ?

Cinq minutes plus tard, ils reprenaient joyeusement la route de Saint-Aygulf.

Quand Sylvie, visant Gambier, accusait l'homme en vacances de « s'abandonner ignominieusement à sa paresse congénitale, vautré sur le sable, transformé en caillou, immobile et muet », elle faisait preuve d'un singulier culot ! En fait, c'est elle qui passait ainsi des heures à se faire dorer au soleil, tandis que Gambier, réfugié dans une ombre relative sous un rocher, tuait le temps en lisant des journaux. Ou bien, il s'en allait faire une petite promenade armé de son Kodak. Il allait jusqu'au village et là, assis sur un banc, prenait plaisir à observer les joueurs de pétanque et à écouter leurs savoureuses querelles. Après quoi, il revenait sur la plage à l'heure du bain.

— Alors, on y va, lézard ?

Sylvie, la peau grasse d'huile solaire, émettait un grognement indistinct. Etendue de tout son long sur le matelas pneumatique, les yeux clos sous ses lunettes noires, elle cuisait à petit feu, stoïque et satisfaite. « Inimaginable ! songeait Gambier. Toutes ces bonnes femmes sont complètement folles. Non, mais regardez-les : ce n'est plus une plage, c'est une rôtisserie ! Sans compter que c'est dangereux pour les poumons. Enfin, si ça les amuse... » Il avait quant à lui renoncé depuis belle lurette à faire entendre raison à Sylvie. On ne discute pas avec un mur.

— Si tu ne te décides pas, menaça-t-il, je te traîne par les pieds jusqu'à l'eau !

C'est qu'il en était bien capable ! Sylvie, du coup, remua, se leva, ôta ses lunettes et passa son bonnet de bain. Un drôle de bonnet, qui ressemblait vaguement à un ananas.

— T'es comique, comme ça, dit Gambier, amusé.

— Je sais, mon chéri. Ne t'inquiète pas : j'en achèterai un autre tout à l'heure, en allant chercher mon nouveau maillot — un cher !

Et Gambier, une fois de plus, regretta de n'avoir pas tourné sa langue sept fois dans sa bouche, avant de parler...

Après le bain, ils rentrèrent à l'hôtel pour le déjeuner. C'était à coup sûr l'un des bons moments de la journée de Gambier. D'habitude peu porté sur les plaisirs de la table, il se découvrait en vacances une vocation de gourmet. Il faut dire que la cuisine du père Mougnasse y était pour beaucoup. Gambier s'installait dans la salle à manger et ses yeux, déjà, brillaient de plaisir anticipé. Il s'emparait du menu et le lisait en se pourléchant les babines.

— Voyons voir... melon au porto, coq au vin — merveilleux, ça ! —, salade niçoise...

Sylvie riait :

— Tu n'as pas honte ? Tu n'es plus un homme, mais

un véritable tube digestif ! Tu vieillis, mon pauvre Phil...

— Penses-tu ! je ne me suis jamais senti dans une telle forme... Je rajeunis, au contraire, de jour en jour. Bientôt, je réclamerai un biberon !

— Et une bande de nombril...

— Une bande de nombril ?

— Oui, pour soutenir ton ventre. Je t'observais, tout à l'heure, sur la plage. Ça m'a frappée d'un coup ; je me suis dit : parole, il prend de la brioche !

Il levait le nez brusquement, observait Sylvie avec méfiance :

— Tu plaisantes, hein ?

— Mais pas du tout, mon chéri. Je t'assure qu'il est plus que temps que tu t'observes !

Elle disait cela d'un air si sérieux qu'il devenait subitement inquiet et se mettait illico — et au sens propre du mot ! — à s'observer, à se tâter l'abdomen avec circonspection. Sylvie avait du mal à réprimer son sourire.

— Je t'en prie, Phil, on te regarde. Tu n'es pas dans une salle de bains, ici !

Le pauvre Gambier, instinctivement, bombait le torse, rentrait le ventre, touchait à peine à ce merveilleux coq au vin dont Sylvie se régalait avec ostentation.

— Mon pauvre chéri, tu ne sais pas ce que tu perds... un pur délice ! Mais tu as raison : un mari obèse, merci bien !

Le père Mougnasse survenait, observait avec étonnement l'assiette de Gambier.

— Hé ! monsieur Gambier, on est malade ? Ou il ne vous plaît pas, dites, mon coquelet ?

Sylvie hochait la tête, souriait :

— Ce n'est pas ça, disait-elle, la vérité, père Mougnasse, c'est que ce grand coquet surveille sa ligne !

Le bonhomme ouvrait des yeux ronds :

— Sa ligne ? Bonne mère, mais il est maigre comme une asperge !

— Je sais, soupirait Sylvie avec lassitude, et je me tue à le lui répéter... Que voulez-vous : il a un inexplicable petit côté féminin auquel il faut bien se résigner...

Gambier, qui commençait à comprendre, la regardait férocement :

— Comment ? mais c'est toi qui prétends que je prends de la brioche ! que je...

Elle prenait un air ingénu :

— J'ai dit ça, moi ? Comme c'est drôle... Il ne faut pas faire attention, mon chéri... Avec ce vin, ce soleil, tu sais, je dis n'importe quoi ! Hmm... ce coq au vin, quel régal ! Félicitations, père Mougnasse, aujourd'hui, vous vous êtes surpassé...

Et, sous l'œil mi-furibond mi-nostalgique de Gambier, elle déposait sur le plat le dernier os du gentil gallinacé...

— Tu sais quoi, horrible femme ? Je te hais comme la gale ! Je te souhaite d'enfler comme un ballon, de baigner dans une graisse jaune et molle, d'être couverte de cellulite !

Sylvie riait :

— Vous voyez comment il est au naturel, père Mougnasse ? Ma seule consolation dans la vie, c'est de bien manger ! A propos, elle vient, cette salade niçoise ?...

Mais là, Gambier mit les bouchées doubles et elle dut se contenter d'une rondelle de tomate et de deux olives. Comme elle n'avait absolument plus faim, cela ne la gêna pas du tout...

— Sacré Philippe ! Tiens, je t'adore. D'abord parce que tu es divinement svelte ; et ensuite parce que ta crédulité n'a d'égale que ta naïveté ! C'est amusant, les hommes...

Gambier haussait les épaules :

— *Ieu o être usant que aüque !*

28

Les sourcils de Sylvie se transformaient en accents circonflexes.

— Plaît-il, mon chéri ? En serais-tu revenu déjà presque à l'âge du biberon ? Ou peut-être aurais-tu avantage à vider la bouche avant de l'ouvrir ?

Gambier « faisait passer » sa salade niçoise à l'aide d'une large rasade de vin.

— Je disais : mieux vaut être amusant que sadique ! Et tu es à coup sûr la créature la plus sadique que je connaisse...

— Mais oui, mon amour ! Remarque toutefois que c'est par stratégie : « on n'aime, a dit le poète, que ce dont on souffre. » Or, je veux que tu m'aimes. Donc je dois, quoi qu'il m'en coûte, te faire souffrir. C.Q.F.D. ! Avoue que tu en as de la chance, d'avoir une petite femme aussi habilement éprise ?

— Ouais... Toi et ta logique filandreuse, je ne marche pas ! Passe-moi le pain, plutôt...

Et, pour apaiser sa faim, il vidait la corbeille à pain jusqu'à la dernière miette, en louchant vers le plat que Louis, le garçon, déposait sur la table voisine.

— On y va ? suggérait Sylvie en se levant. On prendra le café sur la terrasse, c'est plus gai. Viens, mon petit coq chéri, mon mince petit coq au vinaigre !...

Aller deux fois à Saint-Raphaël dans la même journée constituait pour Gambier une corvée qui dépassait les limites de sa bonne volonté. « Surtout, pensait-il, que si ce maillot ne va pas, elle va encore en essayer des tas et rester des heures dans cette boutique... » Cette perspective, en dépit de l'accablante chaleur, le glaçait d'effroi.

— Heu... ça t'ennuierait beaucoup d'y aller seule ?

— Seule, pourquoi ?

Il faisait une petite moue dont Sylvie n'était pas dupe :

— Je ne sais pas ce que j'ai... heu... je ne me sens pas très bien !

Narquoise, elle souriait :

— Ça t'apprendra, créature vorace, d'abuser à table des bonnes choses ! Passe-moi les clefs...

— Quelles clefs ?

— Tiens, les clefs de ta voiture ! Tu n'imagines tout de même pas que je vais y aller à pied ? Note que, si tu préfères, je puis faire de l'auto-stop : c'est bourré d'Adonis en Ferrari, dans ce coin-ci !

La pensée de confier sa voiture à Sylvie ne souriait aucunement à Gambier. Toutefois, la pensée de la confier, elle, à un Adonis en Ferrari, lui souriait moins encore. Il lui tendit donc les clefs :

— Sois prudente, surtout ! Ne te sers pas du *choke*, ne roule pas trop vite, n'appuie pas trop brusquement sur la pédale de freins...

— ...n'allume pas tes phares en plein jour, n'indique pas que tu tournes à droite quand tu vires à gauche et ne dévisse pas le levier des vitesses pour jouer du tambour sur le couvercle du coffre, enchaîna Sylvie, amen ! N'aie pas peur, doux cœur — et repose-toi bien. *Bye, bye !*

Elle s'en fut allègrement, tandis que Gambier soupirait et fermait les yeux avec résignation.

La *Taunus* était garée dans la cour de l'hôtel, entre la voiture des Anglais et une petite M.G. rouge. Sylvie s'installa au volant. Elle s'y sentait chétive et minuscule. Habituée à piloter sa quatre-chevaux, elle avait l'impression peu rassurante de devoir conduire un autobus. Elle lança le moteur et démarra avec d'infinies précautions. Cet engin, avec son gros moteur, lui inspirait une confiance relative. Tout alla bien. Sylvie passa en seconde, sortit sans encombre de la cour et prit la route. C'est alors qu'elle songea avec perplexité qu'elle ignorait absolument où se trouvait la marche arrière. Ça, c'est ennuyeux... Savoir faire marche arrière, parfois, c'est utile ! Vous me direz que, la terre étant ronde, on n'a qu'à continuer à rouler tout droit pour revenir finalement à son point de départ... Ouais. Mais ce n'est peut-être pas la solution idéale. Tant pis, on verra bien ! Elle appuya délibérément sur l'accélérateur. Cela fit « vvoup... » et la voiture, littéralement, bondit en avant. Sylvie, atterrée, leva le pied. « Doux Jésus, quelle machine ! Et méchante, avec ça... Quand je pense à ma brave petite *Ferblantine*... Et ce type qui klaxonne derrière moi. Qu'il passe, s'il est pressé ! Ah, nous arrivons... s'agit d'ouvrir l'œil, et même les deux ! Quant à savoir comment je vais faire pour trouver le moyen de parquer dans cette foire, mystère et boule de gomme... Je frémis à l'idée que je pourrais esquinter la carrosserie. Le nommé Philippe Gambier me casserait sûrement une patte, dans son légitime courroux... Ici ? Non, je ne réussirai jamais à me caser là-dedans. Si ça continue, je vais me retrouver à Monaco ! Tournons à gauche, à tout hasard... » Elle tourna à gauche, puis à droite, puis encore à droite... Sans succès. A croire que toutes les voitures de France et de Navarre s'étaient donné rendez-vous à Saint-Raphaël ! Finalement, le miracle eut lieu : un gros autocar démarra sous le nez de Sylvie et elle s'empressa de prendre sa place — Ouf !

Elle mit ensuite une bonne demi-heure à retrouver son magasin. Elle poussa la porte, le cœur battant. Tout de suite, le sourire de la vendeuse la rassura : le maillot était là ! Sylvie l'essaya, se contempla dans la glace et se trouva, mais oui, fort mignonne... Une joie enfantine fut en elle. Elle quitta la boutique. Il lui sembla que le ciel était encore plus bleu, le soleil plus radieux, la vie plus belle ! Et maintenant, allons vite nous faire admirer par notre seigneur et maître...

Catastrophe ! La *Taunus* était littéralement coincée, pare-chocs contre pare-chocs, entre deux voitures. Sylvie sut immédiatement qu'elle était incapable de la sortir de là. Une désagréable petite angoisse lui pinça la gorge. Attendre qu'une des deux voitures s'en aille ? On risquait d'attendre longtemps. Téléphoner à Gambier pour lui expliquer, lui demander de venir ? Il serait fou furieux ! Sylvie ouvrit la portière, déposa le maillot sur le siège et resta là, perplexe, embarrassée, à regarder autour d'elle et à ne savoir que faire. C'est dégoûtant, tout de même, ces gens qui se fichent éperdument des autres ! Dégoûtant et scandaleux. Le monde est peuplé de mufles égoïstes. J'ai bonne mine, moi ! Pour un peu, elle en aurait pleuré, de colère et de désespoir. Elle alla revoir devant et derrière... Hélas, elle n'y disposait guère, pour manœuvrer, que d'une vingtaine de centimètres. Et comment manœuvrer sans recourir à cette maudite marche arrière ? Alors pour Sylvie le ciel devint sombre, le soleil terne et la vie amère...

— Je vous demande pardon, madame, mais je vous observe et je crois que vous êtes dans l'embarras. Puis-je vous aider ?

Sylvie, surprise, se retourna. Un jeune garçon se tenait devant elle. Il souriait avec gentillesse. « Un berger grec ! » pensa-t-elle. Il était très beau, en effet, d'une beauté saine, sereine et simple. Il avait les cheveux taillés court, ramenés à la romaine sur le front ; un visage qui respirait la franchise, avec des yeux couleur de myosotis. Il pouvait avoir une vingtaine d'années. Sa chemise entrouverte découvrait sur un torse merveilleusement bronzé, une petite croix en or. Il avait, faiblement, l'accent du pays. Sylvie se sentit réconfortée. Elle sourit.

— Merci, dit-elle. Le fait est que je suis plutôt mal embarquée...

Elle hésita, prit le parti de rire :

— Pour ne rien vous cacher, c'est la voiture de mon mari... et je ne sais pas du tout où se trouve la marche arrière !

Une lueur amusée passa dans les yeux du garçon.

— Vous savez, toutes les boîtes de vitesses se ressemblent... Voulez-vous me permettre d'essayer ?

Il s'assit au volant, fit tourner le moteur, manœuvra en tous sens, avec précaution, le levier de vitesses. Vingt secondes plus tard, il avait compris. Encore vingt secondes et la *Taunus*, en souplesse, était dégagée. Sylvie, médusée, contemplait son sauveur avec admiration.

— Vous êtes mécanicien ?

Il rit, montrant des dents de jeune loup :

— Pas du tout ! Venez, je vais vous expliquer... Vous tirez sur le levier et vous passez derrière la première, vous voyez ?

Evidemment, c'était tout simple. Quand on sait, tout est toujours simple ! Il descendit de voiture.

— Bonne route, madame !

— Merci, dit Sylvie. Vous êtes un type épatant !

Un moment, elle pensa qu'elle devrait peut-être lui donner quelque chose... Mais non : en dépit de sa tenue négligée, il avait un air de noblesse naturelle qui ne trompait pas.

— Adieu, dit-elle, et encore merci !

Il s'inclina. Sylvie démarra et reprit la route de Saint-Aygulf. Elle avait retrouvé toute sa bonne humeur. De temps à autre, elle jetait un coup d'œil au petit paquet posé à côté d'elle et une joyeuse impatience l'envahissait.

Gambier, confortablement installé dans un fauteuil transatlantique, l'attendait dans le jardin de l'hôtel en feuilletant des magazines. Elle exécuta sous ses yeux un virage impeccable.

— Salut, époux !

Il se leva, l'embrassa, inspecta mine de rien sa voiture d'un regard attentif.

— Ne t'inquiète pas, saint-Thomas ! Comme neuve, que je te la rends... Pour qui me prends-tu ? Je sais conduire, moi ! Note que je me suis trouvée salement coincée au parking, mais un berger grec est tombé du ciel et hop ! en deux coups de cuiller à pot il a arrangé ça...

— Un berger grec ?

— Ben oui, quoi... Qu'y a-t-il d'étonnant à cela ?

Elle rit :

— Je vais tout te raconter, mon gros mouton ! Mais je veux en priorité absolue te montrer comme il est superbe, ce maillot... avec moi dedans ! Pas un mot, pas un geste : je reviens tout de suite...

En courant, elle disparut dans le hall de l'hôtel. Gambier en profita pour faire quand même le tour de sa voiture. Puis, rassuré, il alla se rasseoir. « Un berger grec » ? Cette Sylvie, dès qu'on la laisse seule dix minutes, on peut être sûr qu'il va lui arriver quelque chose de pas banal. Elle attire les aventures comme le paratonnerre attire la foudre ! Avec elle, pas de danger qu'on s'ennuie. Gambier, amusé, sourit.

3

— Tu sais de quoi j'ai envie, Phil ?

Il la regarda avec inquiétude.

— Non. Et je ne veux surtout pas le savoir !

Elle rit :

— Aussi avare que froussard ! Mais rassure-toi, je n'en veux pas à ton argent... Je voudrais simplement que tu m'emmènes danser, ce soir.

Gambier ouvrit des yeux ronds, comme si elle lui demandait la chose la plus extravagante.

— Danser ?

— Ben oui, quoi ! Tu ne sais pas de quoi il s'agit ? C'est très simple : il y a un orchestre qui joue de la musique et...

— Ouais !

Gambier, en dépit de ses exhibitions aussi rares qu'impromptues[1], avait horreur de ça. Il trouvait parfaitement inepte de se trémousser plus ou moins en cadence, dans une chaleur suffocante et un vacarme assourdissant, au milieu d'une foule de gens agglutinés. De plus, cela le fatiguait. Enfin, il appréciait fort peu de devoir prêter Sylvie au premier venu qui en manifestait le désir et qui, sous prétexte de danser le vrai tango, l'enlaçait avec une insupportable familiarité possessive...

— Ouais... tu trouves intelligent de venir jusqu'ici pour aller s'enfermer dans une boîte mal aérée ?

— Intelligent, non — mais amusant, oui ! Ensuite rien ne nous oblige à choisir précisément une boîte enfermée. A Sainte-Maxime, j'ai vu en passant qu'il y avait un sympathique petit truc à ciel ouvert...

Elle sourit :

— Ne cherchez pas de fallacieuses excuses à votre paresse naturelle, Philippe Gambier ! Je vous connais, mon bon ami... Veuillez bien songer toutefois que vous avez pour devoir — même s'il vous vient une âme de croulant, sinon d'écroulé — de distraire votre jeune, jolie et dynamique épouse !

Elle s'approcha, tendit vers lui un index sentencieux :

— Savez-vous, mari, ce qui arrive aux hommes égoïstes et pantouflards ? Je vais vous le dire : leur jeune, jolie et dynamique épouse s'en va danser sans eux !

Gambier, à son tour, sourit :

— Je voudrais bien voir ça !

Elle soupira :

— Ecoutez-le, ce tyran, ce fat, ce sûr-de-lui ! Remarque que tu as raison, mon chéri, tu ne verras jamais ça. Primo parce que ça ne se fait pas. Secundo parce que je ne suis heureuse qu'avec toi. Tertio parce que tu te feras toujours un plaisir de me faire plaisir ! Moralité : va t'habiller !

---

[1] Voir *Sylvie n'aime pas le chewing-gum.*

Gambier s'exécuta d'assez bonne grâce, après que Sylvie lui eut toutefois promis — « croix de bois, croix de fer, si je mens je vais en enfer ! » — qu'« on ne rentrerait pas tard ».

A Sainte-Maxime, le « sympathique petit truc à ciel ouvert », situé presque en bordure de la mer, à la sortie de la ville, ressemblait à une guinguette du 14 juillet. Des tables et des chaises de fer étaient disposées sans ordre apparent autour de la piste de bois. Suspendues à des mâts, des guirlandes de lampions multicolores créaient une ambiance de fête populaire. Installés sur une petite estrade simplement posée sur des tréteaux, cinq musiciens s'agitaient avec frénésie.

Gambier, ahuri, regarda Sylvie :
— C'est ici ?
— Voui ! Mignon, hein ?
— Mais... c'est une pouponnière !

Effectivement, l'âge moyen des danseurs se situait visiblement aux alentours de seize ou dix-sept ans. Rien que des jeunes, la plupart vêtus d'un blue-jean et d'une chemise de couleur vive — les filles comme les garçons — et tous installés devant un Coca-Cola qu'ils buvaient à même la bouteille.

— Marrant ! dit Sylvie, ravie. Viens vite, il y a une table, là !

Elle se précipita, traînant Gambier derrière elle. Ils s'installèrent tant bien que mal. L'orchestre attaquait un twist endiablé et les couples, sur la piste, se déchaînaient.

Gambier, non encore revenu de sa surprise, écarquillait les yeux :
— Celle-là, tu me la copieras ! Et dire que tu as voulu que je m'habille. De quoi j'ai l'air ?
— De ce que tu es, mon amour : d'un homme élégant !

Elle rit :
— J'avoue que je ne m'attendais pas à ça... Et que, par comparaison, tu fais presque solennel ! Si tu roulais les jambes de ton pantalon, pour en faire un short ?

Il haussa les épaules :

— Malin ! Néanmoins, si tu permets, je me mets à l'aise...

Il enleva sa cravate, dégrafa le col de sa chemise, ôta son veston et le posa sur le dossier de sa chaise. Du coup, il se sentit dans l'ambiance et rajeuni, presque, de dix ans ! Au fond, il commençait à trouver l'aventure plaisante. S'il détestait les bars, leurs lumières tamisées, leur atmosphère artificielle et sophistiquée, il aimait en revanche, comme Sylvie, tout ce qui est vrai et spontané. Après tout, passer une soirée parmi les *teen-agers* ne manquait ni de pittoresque ni d'intérêt !

Le garçon vint prendre la commande. Avec sa grosse moustache, il ressemblait vaguement à Georges Brassens.

— Ces messieurs-dames ?

Il regarda curieusement Sylvie et Gambier, émit un petit rire bref et essoufflé :

— De toutes façons, vous n'avez guère le choix : Coca ou limonade. Mais pour le spectacle, là, ça vaut le coup, hé !

Sylvie et Gambier commandèrent un Coca-Cola. Ils burent au goulot, comme tout le monde. Sans désemparer, l'orchestre enchaînait un nouveau twist. Des couples venaient se rasseoir, d'autres se dirigeaient vers la piste.

— Ce qui est curieux, dit Gambier, c'est l'air sérieux avec lequel ils se livrent à ces exercices. Tu as remarqué ?

— Oui. Tu sais, Phil, on dit beaucoup de mal des jeunes. Je suis sûre qu'on a tort. Ils ont leurs problèmes... scolaires, familiaux, sentimentaux... Rares sont les parents qui restent « dans le coup », suffisamment jeunes de cœur que pour comprendre. Alors, ils se débrouillent entre eux. Pour eux, la danse est moins un plaisir qu'une sorte de défoulement. Ils y jettent leurs forces vives, leur besoin de remuer, de se dépenser... Etre jeune, c'est être pur. C'est avoir soif, terriblement, d'absolu. Or, justement, la vie n'est facile pour personne. Ces jeunes l'apprennent tous les jours, en se heurtant à la réalité, aux difficultés quotidiennes... Le twist, c'est en somme pour eux un moyen de se délivrer, de vivre à cent pour cent !

Gambier sourit :

— Ainsi parla Sylvie, amen ! Note que je suis d'accord avec toi, chère philosophe. Je vais même te faire un aveu, mais ne le répète à personne : les Johnny Halliday, Richard Anthony, Françoise Hardy et tutti quanti... eh bien ! j'aime assez ça, moi.

Elle le regarda :

— Vrai ?

— Vrai ! Pas à trop fortes doses, bien sûr. J'apprécie également certains plaisirs plus intellectuels, plus artistiques. Mais l'un n'empêche pas l'autre. Vivre, c'est savoir vivre avec son temps ! Quand j'avais vingt ans, c'était l'époque de l'angoisse métaphysique, de Jean-Paul Sartre et de l'existentialisme. On affichait un air blasé. On discutait à perte de vue de l'homme et de l'humanité. On s'ennuyait avec conviction. Tous comptes faits, je préfère le rock et le twist. Au moins, ça bouge, ça remue, ça vit ! C'est plus sain...

A son tour, Sylvie sourit :

— Ainsi parla Philippe Gambier, amen !

Elle le regarda, soudain un peu émue :

— Sais-tu que tu es exactement mon idéal, Phil ? Solide et réaliste ; capable de m'aider et de me protéger... Et, en même temps, gai, un peu farfelu, enthousiaste et généreux — jeune, quoi !

— Je suis tout ça, moi ?

— Oui. Et c'est pour cela que je t'aime et que tu me rends heureuse !

— Malgré ma paresse, mon avarice sordide, mon âme de croulant ?...

Elle rit :

— Pfutt ! mon pauvre chéri, si tu crois tout ce que je raconte ! Tu vois, ça dépend des moments... Je suis toujours sincère, mais j'ai des sincérités différentes et successives ! C'est ce qui fait mon charme, non ? Quoi qu'il en soit, pour le moment, je te trouve formidable et adorable ! Hâte-toi d'en profiter, ça ne durera pas — et fais-moi danser...

Ils réussirent à trouver, sur la piste, dix centimètres carrés d'espace libre. Le twist de Gambier était assez personnel et, pour tout dire, assez mou. Une sorte de twist-slow de son invention — et de tout repos !

> *Papa, papa, papa*
> *t'es plus dans l'coup,*
> *papa...*

D'abord, il n'y prêta pas attention. Puis il vit que la jeune fille, à côté de lui, le fixait d'un air moqueur en chantonnant et en se trémoussant avec entrain :

> *Papa, papa, papa*
> *t'es plus dans l'coup,*
> *papa...*

Sylvie riait :

— J'ai l'impression, mon pauvre Phil, que ton prestige en prend un fameux, de coup !

Vexé, Gambier hésita. Ignorer superbement cette petite sotte ou prouver à tous ces gamins de quoi est capable un homme, un vrai ? Il n'eut pas le loisir de choisir. Une nuée de jeunes, ironiques, faisaient maintenant cercle autour de lui en reprenant le refrain :

> *Papa, papa, papa*
> *t'es plus dans l'coup,*
> *papa...*

Un véritable défi ! Le sang de Gambier ne fit qu'un tour. Vous croyez ça, mes petits amis ? et bien ! vous allez voir ce que vous allez voir... Et, brusquement, il y alla si brusquement que Sylvie, surprise, mit dix secondes à trouver et à suivre son rythme. Jambe gauche, jambe droite ; petit bond de côté ; et je rame avec les bras ; et je me penche en arrière, puis en avant... plus vite, plus sec, encore plus vite ! Il avait chaud. Ses oreilles bourdonnaient. Son cœur cognait dans sa poitrine. Aucune importance ! Ah ! ah ! mes gaillards, qu'est-ce que vous dites de ça, hein ? Les gaillards, joyeusement, s'arrêtaient de danser et applaudissaient. Sylvie, essoufflée, aurait bien voulu en faire autant. Pas question ! Quand Gambier a décidé d'aller jusqu'au bout, il va jusqu'au bout. Pas dans le coup, lui ? Toute la nuit qu'il twistera, s'il le faut !

Enfin, l'orchestre se tut.

— Ouf ! fit Sylvie.

— Bravo, m'sieur ! dit en riant la petite jeune fille qui était à l'origine de cette exhibition. Et je retire ce que j'ai dit : vous êtes *formi !*

Gambier sourit avec condescendance. Puis, très digne, il traversa la piste, alla s'asseoir sur sa chaise et vida d'un trait sa bouteille de Coca. Il fit une large inspiration.

— Je suis peut-être *formi*, dit-il avec effort, mais si ce truc avait encore duré une minute, je tombais à coup sûr raide mort ! Enfin, l'honneur est sauf... Et dire qu'on appelle ça des vacances ! Sylvie, sois gentille, va chercher...

Constatant qu'elle ne l'écoutait pas, il se tut, suivit son regard. Il vit avec étonnement qu'elle souriait à un des jeunes musiciens, lequel lui faisait, de la main, un petit salut amical et complice.

— Qui c'est ? tu le connais ?

— Mais oui, c'est extraordinaire ! Je ne l'avais pas encore reconnu. C'est mon berger grec ! Tu sais bien, le garçon de qui je t'ai parlé, qui m'a aidée ce matin à me dégager du parking... Ça, comme coïncidence, avoue que c'est amusant !

Gambier regardait dans la direction de l'orchestre. Il fronça les sourcils. Une jeune fille venait de paraître. D'un bond léger, elle sautait sur l'estrade ; posait sur la joue du jeune musicien un baiser furtif...

— Amusant, dit Gambier, c'est le moins qu'on puisse dire ! Et ce n'est pas tout... Regarde.

Sylvie se retourna. La jeune fille, c'était Magali.

Magali ? Magali qui embrassait ce musicien, ce joueur de guitare... mais... mais alors ?

— Mais, dit Sylvie éberluée, c'est lui ? C'est lui qu'elle... c'est elle qu'il...

Gambier sourit :

— J'en ai comme qui dirait l'impression ! Voyez-vous ça, la petite désobéissante... C'est papa Mougnasse qui va être content !

Sylvie le regarda :

— Papa Mougnasse ? Tu n'as tout de même pas l'intention d'aller lui raconter, j'espère ?

— Mais... il me semble, ma chérie, que...

— Tu es fou ! Tu n'es pas payé pour moucharder, que je sache !

Du coup, elle se fâchait, attaquait :

— Pas d'accord, Phil ! Le père Mougnasse a peut-être d'excellentes raisons pour empêcher sa fille de fréquenter ce garçon, mais c'est son affaire et pas la nôtre ! Si tu lui racontes ça, je ne te parle plus pendant six mois !

— Bon, bon, ça va ! Moi je pensais simplement qu'il était de notre devoir d'intervenir. Mais après tout tu as peut-être raison : inutile de verser de l'huile sur le feu. On reprend un drink ?

Mais Sylvie se levait :

— Volontiers, mais pas ici. Viens, on file !

— Et pourquoi ?

— Pour ne pas inquiéter Magali, homme stupide ! Dépêche-toi...

Déjà, elle se faufilait entre les tables, courait vers la voiture. Gambier récupérait son veston et galopait derrière elle.

Ils roulèrent lentement dans la nuit parfumée. L'air était merveilleusement doux et léger. Des millions d'étoiles fleurissaient dans le ciel. Le moteur ronronnait comme un gros chat heureux et fidèle.

— A quoi penses-tu, chérie ?

Elle eut un faible sourire :

42

— A Magali, à ce garçon... Ils sont si mignons, tous les deux, si sympathique ! S'ils s'aiment, pourquoi ne peuvent-ils s'aimer ?

— Tu sais bien que...

— Oui, je sais. Je pose des questions stupides. Mais ce n'est pas à toi que je m'adressais, c'est au Bon Dieu ! Rien n'est plus beau que l'amour. Rien n'est plus émouvant que l'amour de deux êtres jeunes et purs... Pourquoi faut-il si souvent que de misérables questions d'argent viennent faire obstacle au bonheur ?

— C'est la vie, chérie...

— Non, justement, ce n'est pas la vie ! La vie, c'est la fleur qui naît, le soleil qui luit, la source qui jaillit du rocher... La vie est naturelle, évidente et simple. La vie n'a pas inventé l'argent. L'amour ignore l'argent. Mais c'est l'argent qui dit à l'amour : halte, on ne passe pas ! Alors vient la souffrance. Ce sont les hommes, Phil, qui ont inventé l'argent...

Gambier sourit :

— Tu as raison, mais comme une petite fille romanesque. La vie de tous les jours n'est pas du cinéma. Vraies ou artificielles, elles existent, les contingences ! Un fait est un fait ; rien ne sert de le nier ou de se le dissimuler. Tu sais comme moi que l'amour, pour survivre et s'épanouir, réclame un terrain favorable : un homme doit pouvoir subvenir aux besoins de son foyer. De plus, se marier hors de son milieu est souvent dangereux...

Sylvie haussa les épaules :

— Le père Mougnasse exploite un hôtel, et la mère je-ne-sais-plus-comment tient un café... ça fait une grosse différence, à ton avis ?

— Je ne sais pas. A priori, non... N'empêche que le père Mougnasse, parlant du garçon, le traite de vagabond et de bon à rien !

— Peuh ! simple exagération de Méridional. Je l'ai

vu, moi, je lui ai parlé : il a un air de gentillesse et de franchise qui ne trompe pas. Je suis sûre que c'est un chic type !

— Ne t'emballe pas, Sylvie...

— Je ne m'emballe pas. Mais il y a des choses qu'une femme sent d'instinct. Tu veux mon avis ? Il se trompe, le père Mougnasse, et lourdement, en s'entêtant à les séparer au lieu de chercher une solution pratique. Et ça, tiens, je le lui dirai !

— Je croyais que c'était son affaire et pas la nôtre ? Si tu veux également mon avis, tu ferais beaucoup mieux de ne pas te mêler de ça !

Elle ne répondit pas. Elle se sentait vaguement triste, vaguement indignée, comme chaque fois que quelque chose lui paraissait injuste. Est-ce sa faute, à ce garçon, si son père a été tué à la guerre ? si sa mère tient un bistrot qui lui permet tout juste de vivoter ? Est-ce sa faute s'il aime la musique ? s'il préfère chanter sur sa guitare sa joie ou son chagrin, plutôt que de pourrir dans un bureau poussiéreux ?

— D'ailleurs, reprit Gambier, s'il l'aime vraiment, sa Magali, il travaillera, il fera n'importe quoi... il se débrouillera !

— Facile à dire ! Quand on a des parents pour vous aider, des amis pour vous soutenir, des relations, oui... Mais quand on est pratiquement seul au monde, Phil, et pauvre, tu sais aussi bien que moi combien c'est difficile...

Ce fut au tour de Gambier de ne pas répondre. Elle avait raison, oui. Assurément, cette histoire était navrante. Dommage... Mais lui, Gambier, qu'y pouvait-il ? A quoi bon, dès lors, gâcher son propre bonheur à y songer sans cesse ? Il tourna le bouton du poste de radio. La station de Monte-Carlo retransmettait, depuis Paris, un concert de jazz symphonique.

Ce fut le lendemain matin, alors que Gambier faisait au village sa petite promenade quotidienne, que Magali s'approcha de Sylvie étendue sur la plage.

— Je vous demande pardon, madame...

Sylvie se retourna, main en visière sur les yeux à cause du soleil.

— Magali, quelle bonne surprise ! Bonjour !

— Bonjour, madame. Je ne vous dérange pas ?

La jeune fille avait un air à la fois grave et embarrassé. Sylvie comprit tout de suite qu'elle avait une intention précise mais ne savait trop comment s'y prendre.

— Mais pas du tout, Magali, au contraire. Asseyez-vous. Attendez, que je vous prête un morceau de mon matelas pneumatique... Mais si : nous n'allons tout de même pas faire des manières !

La jeune fille s'assit. Elle portait une tenue de toile grise, des sandales découpées à lanières dorées. En dépit de la chaleur déjà vive, elle avait le teint mat, velouté. « Fraîche comme un fruit, pensa Sylvie, et jolie comme un cœur ! » Il y eut un petit silence, que Sylvie se hâta de rompre pour mettre la jeune fille à l'aise.

— Magali, je vous envie ! Ça doit être merveilleux de vivre toute l'année dans un pareil pays. Tout y respire la joie et le bonheur...

Elle prononçait exprès ces mots, devinant qu'ils allaient provoquer chez la jeune fille une réaction et, évitant les longs détours, simplifier le dialogue. Magali, en effet, aussitôt leva la tête, regarda Sylvie avec insistance. Elle hésitait. Que savait-elle de cette jeune femme, cliente inconnue de l'hôtel ? Etait-il prudent de se confier à elle ? Amie ou ennemie ? Elle n'hésita toutefois pas longtemps. Elle n'avait pas le choix. Et puis elle lisait, dans les yeux de Sylvie, une sympathie si évidente... Avec la spontanéité de son âge, et une sorte d'âpreté farouche, elle entra sans autre préambule dans le vif du sujet.

— Mon père vous a parlé de moi, n'est-ce pas ?

Sylvie fit oui, de la tête.

— Alors, vous savez qu'il s'oppose à ce que je voie encore Roméo...

Sylvie, surprise, tressaillit :

— Roméo ? c'est son nom ?

— Oui, Roméo Cervennes...

Roméo... C'est merveilleux ! Avoir vingt ans, être amoureux — et s'appeler Roméo. Comme dans Roméo et Juliette. Le symbole même de la jeunesse, de la ferveur et de l'amour. Avec au-dessus de soi le ciel bleu, avec la mer paisible, les oliviers, les cigales... Avec, en guise de Juliette, cette Magali qui ressemble au printemps...

— C'est merveilleux ! dit Sylvie.

Magali eut un sourire sans joie :

— Ce pourrait l'être... Mais vous savez, dans *Roméo et Juliette* aussi, ça finit mal !

Et brusquement, des larmes brillantes lui vinrent aux yeux. Sylvie, bouleversée, lui prit la main :

— Magali ! rien n'est fini encore... Vous savez, le mélodrame, c'est un genre démodé !

Elle s'efforçait de plaisanter. Du dos de la main, comme une petite fille, Magali s'essuya les yeux.

— C'est bête, dit-elle, excusez-moi !

Bravement, elle avala ce sanglot qui lui nouait la gorge.

— Hier soir, reprit-elle, vous êtes venue au Club, n'est-ce pas ? Roméo vous a vue, moi pas. Il m'a aussi raconté comment il vous avait rencontrée, le matin, à Saint-Raphaël. Alors je voudrais vous demander... oh ! je sais, ce n'est peut-être pas tout à fait régulier, mais tant pis ! Je voudrais vous demander de ne rien dire à papa.

Sylvie sourit :

— Il est si terrible, M. Mougnasse ?

— Non. Il est même épatant ! Avant, on était très copains, tous les deux... Mais depuis... Il ne peut pas comprendre. Il dit que je suis trop jeune. Que Roméo n'a pas de situation. Ça, nous le savons bien. Nous ne prétendons pas nous marier tout de suite ! Mais papa ne veut rien entendre. Il se fâche et alors il dit des choses affreuses. Qu'il est un bon-à-rien, un petit voyou ! Qu'il ne veut pas de ça dans sa famille... Vous vous rendez compte, madame ? Mon Roméo ! Alors, c'est la guerre...

De nouveau, sa voix se brisa. « Le vieux conflit des générations, pensait Sylvie. On ne parle pas le même langage. On s'affronte, on se déchire. Alors qu'il serait tellement plus simple, plus intelligent, d'essayer de s'entendre, de discuter posément. Le père Mougnasse, il adore sa fille. Pour assurer son bonheur, il se ferait hacher menu... Et elle, qui pourtant aime son père, elle se révolte. Elle nargue son autorité. Ils souffrent tous les deux. Et tous les deux, ils sont sûrs qu'ils ont raison, de leur bon droit... C'est le drame classique. Et c'est désolant... »

— Magali, dit-elle doucement, je vais vous parler comme à une amie. Je vous comprends : je ne suis pas tellement plus vieille que vous ! Avez-vous déjà essayé, honnêtement, de vous mettre dans la peau de votre père ? Pour lui, seul compte votre bonheur. Et si l'on s'en tient aux apparences, Roméo ne semble pas offrir, en effet, toutes les garanties requises...

La jeune fille leva la tête, regarda Sylvie avec une soudaine dureté :

— Toutes les garanties requises ?

— Je veux dire, se hâta de corriger Sylvie, toutes les garanties matérielles requises. Pour le reste, je l'ai vu. J'ai la conviction qu'il est honnête et bon.

— Pourquoi ne pas lui donner le temps de réussir ?

— Oui. Mais votre père estime — et il n'a pas tort — qu'il a choisi un métier bien difficile.

— Il a du talent !

— Je n'en doute pas, Magali. Mais on vit hélas de bonne soupe, et non de talent... Ensuite votre père estime — et là non plus il n'a pas tort — que plus vous ren-

contrerez ce garçon et plus vous risquerez de vous attacher à lui...

Le regard de la jeune fille se figea, dans le même
temps qu'un léger sourire flottait sur ses lèvres. Elle ra-
massa machinalement une poignée de sable, la laissa
fuir entre ses doigts.

— M'attacher à lui... répéta-t-elle. Qu'est-ce que cela
signifie ? Je l'aime et il m'aime.

— En êtes-vous bien sûre, Magali ?

De nouveau, la jeune fille fixa sur Sylvie le noir éclat
de ses yeux. Un regard à la fois serein et douloureux,
qui avait la dureté du diamant. Un regard venu du profond de l'âme, si grave, si définitif, que Sylvie ne douta
plus.

— Magali...

La jeune fille hocha lentement la tête.

— Je l'aime et il m'aime, reprit-elle d'une voix sourde.

Amour, redoutable amour... Il est le levain essentiel,
la source intarissable et créatrice, le commencement de
tout. Il est chanson, grelot au cœur, aile dans le bleu du
ciel. Une jeune fille rit dans la vie, insouciante et libre.
Puis vient l'amour, comme la foudre. Et la femme découvre le bonheur de la plus douce des chaînes, le goût
délicieux et inquiétant de son destin. Amour, redoutable amour... Il est colère et désespoir, larmes trop tôt
venues ; nuits sans sommeil, longues jusqu'à l'aube...
Il est déchirure, griffe dans le cœur, noir présage surgi
dans le bleu du ciel. C'est selon. Si Roméo ne jouait
pas de la guitare, s'il avait un métier comme les autres
garçons... Seulement voilà : le père Mougnasse, qui est
un brave homme raisonnable, dit non et sa fille, parfois, se désespère. Comment de telles choses sont-elles
possibles, sous le grand soleil du Bon Dieu ?

— Je ne dirai rien à votre père, Magali. Mais de toutes mes forces, pourtant, et de toute mon amitié, je vous
engage à ne plus lui désobéir. Si votre amour est vrai,

il triomphera. Faites-lui confiance ! Si vous le voulez, j'essaierai de...

La voix de Gambier l'interrompit :

— Hou-hou ! les filles... Alors comme ça, on discute le coup, toutes les deux ?

Il arrivait bien, celui-là ! Tout souriant, tout guilleret, avec l'à-propos d'un pavé tombant dans la mare ! En Magali, le réflexe féminin de défense et de pudeur joua instantanément : elle se leva d'un bond, rejeta en arrière ses longs cheveux, offrit à Gambier un visage redevenu comme par magie rieur et souriant :

— Bonjour, commandant !

« Chapeau ! apprécia Sylvie, elle a du ressort, cette petite... Si son Roméo est aussi fin psychologue que mon Philippe, il n'est pas au bout de ses surprises ! ». Gambier se penchait vers Sylvie, l'embrassait.

— Ça va ? On peut savoir de quoi vous parliez ?

Sylvie rit :

— Avec un petit dessin, peut-être, pour que tu comprennes ? On parlait de toi, mon chéri...

— De moi ?

— De qui parlerait-on, ô nombril du monde ? On disait qu'il ne faut jamais désespérer ; et que même les moins doués finissent, à force de bons conseils et de persévérance, par se créer une situation enviable !

Gambier regarda sa femme, puis Magali, puis de nouveau Sylvie :

— Ah ? peut-être que si tu faisais un petit dessin, en effet ?

— Ne t'inquiète pas, mon chéri, je vais t'expliquer. On vous attend, je crois, Magali ?

— Oui, dit la jeune fille ravie d'être ainsi délivrée. Je me sauve. Et bien merci, madame !

Elle s'en fut en courant. Sylvie, rêveuse, la suivit des yeux. Qui sait si ?...

— On se baigne ? proposa Gambier. Hé ! Sylvie, on se baigne ?

Sylvie tressaillit, sourit. Oui, on se baigne. Chaque chose en son temps ! Quand c'est l'heure du bain, c'est l'heure du bain. Pour le reste, on verra. N'est-ce pas, Roméo ?

4

Avant de convaincre Gambier et d'en parler à quiconque, Sylvie résolut toutefois d'approfondir quelque peu ce délicat problème. Prendre des risques, d'accord, et tant que vous voulez : c'est dans la nature même de Sylvie. Maintes fois déjà elle a prouvé que des choses réputées impossibles deviennent possibles, pour qu'on s'y attaque avec enthousiasme, obstination et habileté. Toutefois, dans ce cas précis, une fausse manœuvre, ou même une initiative irréfléchie, n'eût servi qu'à aggraver encore la situation. Sans compter qu'on ne joue pas à la légère avec le cœur des gens... Au fond, Sylvie hésitait. Tout cela ne la concernait nullement. Et puis, comme disait justement Gambier, n'échafaudait-elle pas un joli roman. Magali aimait-elle vraiment ou n'était-elle pas plutôt, à son insu, amoureuse de l'amour ? Mais son regard, la foi aveugle qui se lisait sur son visage ? De toutes façons, ma petite Sylvie, il s'agira d'être prudente, d'agir avec doigté... Agir comment ? Elle n'en avait aucune idée. Mais elle faisait bien entendu confiance à son imagination et à son art de l'improvisation ! Bon. Raisonnons. La première chose à faire, et de quoi tout le reste dépend, c'est de savoir de quel bois exactement se chauffe « l'adversaire ». Allons-y donc, en faisant appel à tous nos talents de diplomate...

Elle attaqua sans perdre de temps, avec son sourire le plus candide et de son air le plus innocent. Gambier, que le rosé de Provence avait légèrement alourdi, s'offrait une petite sieste. Tant mieux ! Sylvie savait que M. et Mme Mougnasse déjeunaient après que les clients de l'hôtel avaient quitté la salle à manger. De les voir ensemble, afin de connaître aussi l'attitude de la mère de Magali, l'arrangeait parfaitement. Elle les aborda sous le premier prétexte qui lui vint à l'esprit :

— Bon appétit ! Dites-moi, madame Mougnasse, vous n'auriez pas un peu de soie blanche ? J'ai une bretelle qui vient de lâcher et... Non, non, ne vous dérangez pas maintenant, il n'y a pas le feu ! Mangez à votre aise... Mais si, mais si, j'y tiens ! De toutes manières je ne sors pas maintenant, avec ce soleil de plomb... Pardon ? C'est que je ne voudrais pas vous déranger... Enfin, si vous insistez...

Et hop ! elle se trouvait assise à la table des hôteliers, devant un verre de vin que le père Mougnasse lui servait presque de force.

— Je ne vois pas Magali... elle ne déjeune pas avec vous ?

Mme Mougnasse jeta à son mari un bref regard, repiqua du nez dans son assiette. Mais le père Mougnasse, lui — et Dieu merci ! — n'avait pas la discrétion de sa femme... Tout de suite, il explosa :

— Ah ! celle-là, hé... ne m'en parlez pas ! Elle reste confinée dans sa chambre... elle dit qu'elle n'a pas faim, qu'elle ne se sent pas très bien... Une misère, quoi ! Vous avez vu la tête qu'elle a ? Une vraie mine de morte-vivante !

Là, il exagérait solidement ! En réalité, elle éclatait de santé, la Magali ! Et pas mal de gens eussent avec empressement échangé la leur, de mine, contre pareille mine de morte-vivante... Ah ! sacré père Mougnasse ! Il devait être né dans les environs de Tarascon, car il eût assurément rendu des points, sur le chapitre de l'exagération, à Tartarin lui-même. De même, il disait : « Ne m'en parlez pas ». Cela signifiait qu'il allait lui-même en parler jusqu'à en perdre le souffle — et croyez-moi : il a le souffle endurant !

— A cet âge-là, continuait-il en dévorant une cuisse de poulet, toutes les filles sont folles, ça c'est sûr et certain...

Il clignait de l'œil malicieusement, désignait sa femme d'un signe de tête :

— Remarquez qu'il y en a à qui ça ne passe jamais ! Mais là n'est pas la question. Cette gamine, elle me chagrine, moi... Pourquoi que vous ne buvez pas ? il n'est pas bon, peut-être, mon vin ?

Sylvie s'empressait de tremper ses lèvres dans son verre et le bonhomme, rassuré, enchaînait :

— Pourtant, je vous le dis, foi de Désiré Mougnasse, je tiendrai bon ! Après tout, ce n'est pas les enfants qui font la loi, non ? Bonne mère, c'est moi qui commande, ici !

Sylvie regardait fixement, pour ne pas sourire, la pointe de ses sandales. D'abord parce qu'elle trouvait plaisant qu'il se prénommât Désiré. Cela lui allait comme un pot de fleurs sur la tête ! Ensuite parce qu'elle doutait vraiment beaucoup que ce fût lui qui commandât, ici !

— Parfaitement ! le père de famille, il est le chef de

la famille… normal, hé ? Son Roméo, c'est tintin — et elle peut danser sur sa tête si ça lui chante. Non, non et non !

Là-dessus, il assenait sur la table un formidable coup de poing et Sylvie, saisie, sursautait violemment. Alors, calmement, tranquillement, Mme Mougnasse disait :

— Et quand elle tombera malade pour de bon, sans doute que tu seras content ?

Sylvie tendit l'oreille. Hé ! hé ! un indice, ça… Un indice qui signifiait, apparemment, que Mme Mougnasse n'était peut-être pas tout à fait de l'avis de son mari… Le père Mougnasse, subitement inquiet, fronçait les sourcils, demeurait immobile, sa cuisse de poulet à la main.

— Malade, malade… et pourquoi qu'elle tomberait malade ?

Sa femme haussait les épaules :

— Ça c'est vu ! Tu dis toi-même qu'elle n'a plus de mine… Tu veux savoir ? Eh bien ! moi je suis sa mère, et je la préfère mariée à son Roméo plutôt que morte vraiment !

Sylvie écoutait avidement. Elle guettait le visage de Mme Mougnasse. Mais il était impossible de lire, sur cette face maigre et sèche, impassible, ce qu'elle pensait réellement. Elle résolut d'intervenir.

— Tout cela est bien triste, dit-elle. Il est si mauvais que ça, ce garçon ?

Le père Mougnasse ouvrait d'immenses yeux ronds :

— Qui a dit ça ?

— Mais, monsieur Mougnasse, j'avais cru comprendre qu'il était un vagabond, un bon à rien, un sans-le-sou…

— Oh ! là, là… simple façon de parler, ma petite dame ! Il est même brave, ce petit… Mais sans le sou, ça, il faut le reconnaître. Et moi je veux que ma fille ait — comment vous dites ? — …du standing, voilà !

Sylvie émit un petit rire, comme si elle énonçait une bonne plaisanterie :

— Et s'il réussissait ? s'il se mettait à gagner beaucoup d'argent, que diriez-vous ?

Le bonhomme hochait la tête, hésitait.

— Il serait d'accord ! prononça sa femme.

Mais alors le père Mougnasse, soudain, se fâchait presque :

— Permettez ! permettez ! Pour qui tu veux me faire passer, Fernande ? Je me moque qu'il gagne beaucoup d'argent. Ce que je veux, c'est qu'il gagne sa vie, et celle de la petite. Et ce n'est pas avec sa guitare et sa musique de sauvages qu'il y arrivera. Et puis c'est pas une vie normale... jouer la nuit, courir aux quatre coins du pays... merci bien ! D'ailleurs, c'est bien simple, je n'y crois pas !

— Vous ne croyez pas à quoi ?

— Té ! à sa réussite...

— Il y a des exemples...

— Non : des exceptions ! Pour une Brigitte Bardot, il y a des milliers de gamines qui crèvent la faim. C'est pareil.

Il s'essuya vigoureusement la bouche avec sa serviette, vida son verre de vin, soupira bruyamment.

— Balivernes, que je vous dis ! Et puis tenez, je fais un pari... Tu écoutes, Fernande ? Bon. Le jour où le gars Roméo, il passera sur la scène du Tropic de Nice, je serai d'accord de causer... D'accord, oui !

Là-dessus, il se mit à rire, tant la chose lui paraissait extravagante, tant il était sûr de gagner son pari. Il avait évidemment raison : le Tropic était le music-hall le plus célèbre de toute la côte et seules les toutes grandes vedettes mondiales s'y produisaient.

— Un pari ! répéta-t-il, et je n'ai qu'une parole... Et puis ça suffit, ça me fait mal... Si tu allais plutôt chercher cette soie blanche, pour Mme Gambier ?...

■

De ce côté-là, Sylvie en savait assez. Oh ! rien de très

précis... Mais l'important était surtout que le père Mougnasse n'eût pas, à l'endroit de Roméo, de reproches graves à formuler. « Il est même brave, ce petit... » Il disait cela avec une sorte de sympathie bienveillante. En
somme, si le garçon eût été en mesure, financièrement
parlant, de subvenir aux besoins normaux d'un ménage,
rien ne se fût opposé à ce qu'il épousât Magali... Encore que le père Mougnasse ne verrait guère d'un bon
œil que sa fille fût la femme d'un artiste, même célèbre. Préjugés rétrogrades ? Pas tellement. Une vie de
vedette est une vie de nomade. Allez donc construire une
famille sur des bases aussi mouvantes ! Pourquoi
diable Roméo ne se décidait-il pas à choisir un métier
stable, comme tout le monde ? Il aime Magali. Cela ne
vaut-il pas quelque sacrifice ? Tout cela est à la fois
extrêmement simple et terriblement compliqué ! Ainsi
songeait Sylvie, couchée sur la plage. En soupirant, elle
se retourna et offrit son dos à la morsure du soleil. La
toile bleue du matelas pneumatique était brûlante. Par
bonheur, une petite brise rafraîchissante courait au ras
du sol. Sylvie avait quelque peine à raisonner logique-
ment. La chaleur était telle qu'elle avait vaguement —
et agréablement — l'impression de se liquéfier, de passer lentement à l'état végétal. Elle contempla avec satisfaction ses bras dorés à point et sourit d'aise. C'est à ce
moment qu'une grande ombre incongrue la recouvrit...
Elle leva un œil courroucé. La grande ombre était celle
de Gambier.

— Bonjour, chérie ! que fais-tu ?

— Tu le vois : je construis un château-fort ! Non :
une cathédrale plutôt. La cathédrale d'un jeune bonheur qui se cherche à tâtons parmi les ronces du chemin de la vie !...

Elle rit :

— N'essaie pas de comprendre, ô chétif insecte humain... Les propos de Sylvie-la-pythie sont impénétra-
bles ! Aie la bonté de t'ôter de mon soleil, tu veux ?

Il s'écarta d'un pas, s'assit.

— Ouais...

Puis, brusquement, il mit son index entre les omoplates de Sylvie et poussa violemment. Elle fit un bond :

— Aïe ! mais tu es fou ?

Il sourit gentiment :

— Non. Je regardais si tu es bien cuite... Ça vient, ça vient ! Tu aurais toutefois intérêt à mettre un chapeau, vu que tu as le cerveau plutôt fragile...

— Mieux vaut un cerveau fragile, grommela-t-elle, que pas de cerveau du tout, comme un gars que je connais !

Elle se souleva sur un coude, regarda autour d'elle.

— Ça t'ennuierait de te lever, homme de ma vie ? Je suis sûre que tu es assis sur la bombe !

Gambier, ahuri, se redressa d'un coup.

— Sur la bombe ?

— Pas celle qui fait boum, rassure-toi, mais celle qui fait pfutt ! Là, tu vois... juste à tes pieds, à demi engloutie par le sable... le capuchon blanc, Phil ! C'est ça. Sois gentil, enduis-moi le dos...

Gambier s'empara de la bombe Nivéa et aspergea copieusement de mousse les épaules de Sylvie.

— Marrant, dit-il, une grillade à la crème Chantilly ! C'est une idée à refiler au père Mougnasse...

Sylvie se recoucha :

— C'est bien comme ça, Phil, merci. A propos du père Mougnasse, j'ai eu après le déjeuner une longue conversation avec lui et avec sa femme...

— A quel sujet ?

Au sujet de Magali. Cette histoire me tracasse, tu sais... Je me demande s'il n'y a vraiment pas un moyen d'arranger cela...

Gambier hocha la tête :

— Si tu veux mon avis...

— Je sais, je sais ! Soyons heureux et tant pis si les autres sont malheureux...

— Mais, Sylvie, tu sais bien que ce n'est pas cela que

je veux dire ! Toutefois, dans un domaine aussi personnel, aussi délicat, je ne vois vraiment pas...

Sylvie sourit :

— Mon pauvre chéri... Si le bonheur de l'humanité dépendait de ton imagination, c'est par millions que les hommes et les femmes se suicideraient de désespoir !

Vexé, il haussa les épaules :

— Malin ! En théorie, tout est toujours facile, mais en pratique... Que veux-tu que j'y fasse, moi, si le père Mougnasse ne veut pas de ce garçon pour gendre ?

— Justement, ce n'est pas si sûr que ça...

Elle lui fit part de la conversation qu'elle avait eue avec les parents de Magali ; plutôt, du long monologue du père Mougnasse.

— Tu vois, conclut-elle, il n'est pas contre en principe. Et il semble même que Mme Mougnasse, quant à elle, soit pour !

— Sentimentalement, oui. Mais ça ne change guère les données du problème. Ça change seulement la question : que veux-tu que je fasse, moi, si ce garçon s'obstine à vouloir gratter une guitare ?

— Ça te plairait, toi, de passer ta vie devant des fourneaux ?

— Il y a d'autres métiers !

— Possible. Mais si Roméo sent que là est sa voie ? Si la musique est pour lui une nécessité, une sorte de vocation ? Tu as voulu être pilote, Phil, et pour rien au monde tu n'aurais renoncé... Pas vrai ?

Gambier hésita.

— Vrai, admit-il. N'empêche qu'à présent j'ai un boulot beaucoup plus administratif et que je dois bien me résigner à voler moins souvent. J'ai dû choisir : ou rester pilote, ou améliorer ma situation en sacrifiant quelque peu mes goûts personnels. J'ai choisi pour toi, pour les enfants...

— D'accord. Mais tu as eu la chance de pouvoir, avant, réaliser ton destin. Qui te dit que Roméo, une

fois marié et père de famille, n'agira pas de même ?
Quand on est jeune, on ne se rend pas très bien compte.
Après, on évolue...

Gambier soupira ; se coucha sur le sable, mains
nouées derrière la nuque.

— Oui, dit-il, tout cela est bien possible. N'empêche
que je ne vois pas du tout en quoi ni comment... Dans
ce genre d'histoires, ma petite Sylvie, le mieux souvent
est de laisser les choses s'arranger toutes seules...

— Aide-toi, le Ciel t'aidera !

— Parfaitement ! Roméo aime Magali ? il veut l'épouser ? A lui d'agir en conséquence...

— Et si on les aidait, Phil, à s'aider eux-mêmes ?...

Il la regarda :

— Que veux-tu dire ?

— Que parce qu'ils sont jeunes, précisément, ils ont
besoin d'être compris, soutenus, aidés... Ils ont besoin
de sentir, non pas une hostilité, mais une confiance
amicale...

— Soit. Mais en pratique ? Tu as une idée précise ?

— Non.

— Bon, tu vois bien ! Je sais ce que tu voudrais. Tu
es généreuse et tu voudrais que tout le monde soit heureux... Un coup de baguette magique — et hop ! voici le
grand bonheur universel... L'ennui, c'est qu'il n'existe pas
de baguette magique, sauf dans les contes de fées. Crois-
moi, Sylvie, ne pense plus à tout cela. Tu ne peux rien
y faire. Même, en voulant bien faire, tu risquerais de
faire du mal...

Sylvie ne répondit pas. A ce stade-ci, discuter avec
Gambier est inutile. Non, il n'est pas indifférent ni
égoïste. Il est simplement réaliste. Il sait qu'il est impossible de résoudre le problème de la quadrature du cercle et il ne perdra pas son temps à essayer. De même,
il est persuadé — et toutes les apparences lui donnent
raison — qu'il ne peut rien pour Roméo et Magali. Dès
lors, c'est pour lui une affaire classée. Gambier est un

homme — et il y a des choses que les hommes sont incapables de comprendre... C'est une question de sensibilité. Pour un homme, ce qui est blanc est blanc, ce qui est noir est noir. Ils ne distinguent pas les reflets, les nuances. Leur intelligence mesure les faits, les compare entre eux, en tire des conclusions logiques. Si vous leur dites que la foi est capable de soulever des montagnes, ils sourient. Pour eux, ce n'est là qu'un symbole. Si vous leur dites que l'amour est capable de réaliser l'impossible, de même ils sourient. Ils croient à l'infaillibilité des équations. Ils n'ont pas tort. Mais Sylvie a-t-elle tort, elle, de croire aussi aux instinctives trouvailles du cœur ? Il n'y a pas de baguettes magiques ? Si, Philippe, il y en a : elles se nomment, précisément, amour et foi. Elles se nomment générosité, persévérance, espérance... Entre Magali et le bonheur, il y a un mur, et ce mur semble infranchissable. Pour Gambier, en tenter l'escalade est absurde. Sylvie, elle, pense qu'un mur, c'est tout de même moins lourd qu'une montagne ! Alors ? Alors, Sylvie ne renonce pas. Elle attend. Elle attend que naisse, en son cœur, la réponse. Elle n'est pas sotte : elle sait qu'elle n'a, sans doute, qu'une chance sur dix, ou même sur cent, de réussir. L'absurde, ce serait de négliger cette chance !

— Tu dors ? demande Gambier.

Elle ne répond pas. Elle n'a pas envie de répondre. Elle préfère écouter, en elle, son cœur qui lui parle. Alors Gambier se lève et, avec des gestes précautionneux, pose sur la tête de Sylvie le grand chapeau de paille blonde. Puis il se recouche. Une bouffée de bonheur gonfle le cœur de Sylvie. Amour, prodigieux amour... Un jour, Roméo, avec de pareils gestes tendres, prendra soin de sa Magali... Qui sait ?

E

Gambier est un individu admirablement conditionné.

Pour lui, lit égal dodo. A peine s'est-il glissé sous les draps que déjà il s'enfonce à toute vitesse, et avec délices, dans le sommeil. D'habitude, cela n'est pas sans exaspérer quelque peu Sylvie. D'abord parce qu'elle aimerait alors bavarder quelques instants avec lui ; ensuite parce que ne possédant pas, elle, pareille faculté, elle trouve profondément injuste de devoir compter les moutons à côté d'un gars qui sourit aux anges !

Or, ce soir, Sylvie avait son idée. Plus vite Gambier dormirait, et plus vite elle serait libérée... Vous me direz qu'il eût été plus simple de le mettre au courant ? Ce n'est pas sûr. Il n'eût certainement pas été très enthousiaste. Il eût même probablement émis un tas d'objections ennuyeuses autant que pertinentes. Non, mieux valait le laisser encore dans l'ignorance et le mettre, ensuite, devant le fait accompli ! L'ennui, avec Gambier, c'est qu'on a parfois la nette impression qu'il est mis au monde pour contrarier vos projets. A croire qu'il le fait exprès ! Contre toute attente, il n'avait pas sommeil. Cela n'arrive jamais, jamais — sauf, évidemment, ce soir ! La porte-fenêtre de la chambre ouvrait sur une petite terrasse surplombant le jardin. Gambier s'y installa dans un des fauteuils d'osier avec un ah ! de satisfaction. Il posa tranquillement les pieds sur la table de fer, croisa les bras et se mit à contempler rêveusement le ciel... Exactement comme s'il se proposait d'y passer la nuit ! Sylvie consulta sa montre. Bientôt onze heures... Allait-elle devoir remettre à demain son expédition ? Elle fit la grimace. La patience n'est assurément pas sa vertu dominante ; et ce qui est décidé est décidé ! Donc, Gambier *devait* dormir... Elle s'approcha de lui :

— Heu... tu n'es pas fatigué, Phil ?

Il lui sourit aimablement :

— Moi ? pas du tout ! J'avais vraiment besoin de vacances... je me sens un autre homme ! Tu ne viens pas t'asseoir ?

— Mais si, bien sûr...

Que faire d'autre ? Elle s'assit donc. Elle avait des fourmis dans les jambes. D'un geste large, Gambier désigna l'horizon :

— Quel merveilleux pays, hein ? quelle paix, quelle douceur ! Je me demande bien pourquoi on s'obstine à vivre dans la grisaille des villes, alors qu'on pourrait retrouver ici l'essentiel contact avec la nature... la vérité, en somme ! Vois-tu, Sylvie, je me dis souvent que...

Ça y est, il est parti ! Ça lui prend rarement, mais quand ça arrive, ça peut durer des heures. Il ne manquait plus que cela... C'est sa fibre poético-philosophique qui brusquement s'éveille. Tout va y passer, depuis l'homme de Spy jusqu'aux découvertes de l'univers sidéral, en passant par la sagesse hindoue, les civilisations englouties, l'art romain, la Révolution française, l'expérience d'Israël et le grand espoir de l'humanité en route vers l'âge d'or... C'est comme si une soupape sautait. Gambier, d'habitude plutôt taiseux, devient alors intarissable. Il suffit d'écouter, de préférence en disant « oui, oui, c'est bien juste » de temps à autre et au hasard. Il est content. Quand il a fini, il se tait — très satisfait d'avoir prouvé aux autres et à lui-même qu'il est un roseau pensant — et on est tranquille pour des mois. A chacun ses innocentes petites manies... Mais pourquoi donc fallait-il, Bon Dieu, qu'il choisisse précisément ce soir, ce soir, pour faire tourner son disque ?

— ...c'est comme ces types qui quittent tout, pour aller vivre dans des pays neufs l'exaltante aventure d'une vie de sacrifices, poursuivait-il. Croirais-tu que, parfois, je les envie ?

Sylvie se mordait les lèvres pour ne pas lui suggérer de partir à l'instant même ! On devrait avoir le droit, dans certains cas précis, de chloroformer les gens !

— Et toi ?

Sylvie tressaillit :

— Moi ? quoi, moi ?

Vexé, il haussa les épaules :

— Tu n'écoutes même pas ce que je dis ! A quoi sert-il dès lors que je m'échine à t'expliquer un tas de choses ?

Elle faillit éclater de rire. Sacré Philippe !

— Tu sais quoi ? Puisque c'est comme ça, eh bien ! je vais me coucher !

Du coup, elle faillit lui sauter au cou ! Il se leva, soupira, leva les yeux au ciel avec l'air à la fois navré et bienveillant du sage incompris, qui se résigne à ne pouvoir communiquer au commun des mortels la grandeur de sa pensée.

— Tu viens, chérie ?

— Non, dit la chérie, je n'ai vraiment pas sommeil. Ce climat me donne des insomnies... Je crois que je vais plutôt aller faire une petite promenade...

Imprudente parole ! Gambier la saisit au vol :

— Bonne idée, je t'accompagne !

— Ah ! non, fit Sylvie épouvantée et d'une voix sans réplique.

Gambier, interloqué, la regarda :

— Mais ?...

Elle se hâta de sourire :

— Excuse-moi, mon chéri... Je ne sais pas ce que j'ai... c'est sûrement le climat, oui. Il m'énerve terriblement ! Bien franchement, j'ai envie d'être un peu seule, de marcher, de respirer. Tu comprends ?

Comment un sage ne comprendrait-il pas ce besoin naturel et légitime de tout être ? La solitude, comme chacun sait, forge les âmes et exalte les cœurs...

— Mais oui, je comprends ! dit-il en se grattant vigoureusement le crâne. Je vais lire en t'attendant. Ne traîne pas trop !

Là-dessus, il entreprit de se déshabiller en chantonnant : « pom pom pom pom... pom... pom... pom pom pom pom... pom pom » sur l'air de « Papa, t'es plus dans l'coup », sans s'en douter le moins du monde. Sylvie s'éclipsa. Elle erra dix minutes dans le jardin. Après quoi, sur la pointe des pieds, elle revint voir ce qui se passait.

Gambier, il fallait s'y attendre, dormait comme un bienheureux. Ouf !

Doucement, Sylvie referma la porte. L'hôtel était silencieux. Elle descendit l'escalier, traversa le hall, sortit. Puis elle ôta ses chaussures et se mit à courir dans la poussière, comme une gamine.

Et maintenant, à nous deux, jeune homme !

5

En dépit de l'heure tardive, une grande
animation régnait encore au Club. Sylvie n'eut néanmoins aucune peine à trouver une table libre. Personne
ne lui prêta attention. Elle commanda un Coca-Cola. A
demi cachée par un gros platane, elle pouvait voir à son
aise sans être vue.

Sur la petite estrade, Roméo et ses musiciens enchaî-
naient twist sur twist. Sylvie observa le jeune garçon.
La fatigue lui creusait un peu les joues. La chaleur lui
collait les cheveux sur le front. Un pied posé sur un
tabouret, les yeux mi-clos, il était presque immobile.
On avait l'impression qu'il jouait pour lui plus que pour
les autres. Pour lui — ou pour elle ? Sylvie chercha
Magali, mais ne la vit pas. Sur la piste, les danseurs,

infatigables, se démenaient en cadence. Le garçon à moustache, imperturbable, circulait entre les tables.

De nouveau, Sylvie regarda Roméo. Combien gagnait-il, ici, chaque soir ? Deux fois rien, probablement. Qu'espérait-il ? Qu'un éditeur de disques le découvre et le lance ? Pareil coup de chance n'arrive pratiquement jamais. D'ailleurs — car il fallait regarder la vérité en face — avait-il seulement du talent ? Spontanément, et par sympathie, Sylvie eût répondu oui. Mais les éditeurs de disques ne misent pas sur les artistes parce qu'ils leur sont plus ou moins sympathiques. Vendre des disques est une opération commerciale, qui revient exactement à vendre du savon ou de la confiture. Pour avoir vécu dans le domaine littéraire une semblable expérience[1], Sylvie savait comment les choses se passent. Les affaires sont les affaires, et aucune considération généreuse n'y intervient. Au reste, c'est normal. Lancer un jeune, un inconnu, coûte cher. Il faut investir beaucoup d'argent, ne fût-ce qu'en publicité. Or, cet argent doit rapporter, le plus possible et le plus vite possible. On comprend dès lors parfaitement que les éditeurs s'efforcent de limiter au maximum les risques. Soudain, Sylvie tressaillit. Quittant la piste, un jeune homme et une jeune fille venaient se rasseoir à la table voisine de la sienne.

— Alors, demandait la jeune fille, qu'est-ce que je t'avais dit ?

Le jeune homme approuvait :

— D'accord. Il est formidable.

Elle haussait les épaules :

— Bien plus que ça ! J'ai entendu tous les orchestres de la Côte... tu peux me croire, aucun n'arrive à la cheville de Roméo. Ce gars-là, il vaut Johnny !

— Hé ! hé ! un petit béguin ?

— Ne sois pas stupide, Bob ! D'abord tout le monde sait que Roméo ne pense qu'à sa Magali... Seulement, il

---

[1] Voir *Sylvie et le Dragon*.

faut dire ce qui est : Roméo, c'est un champion !

Le jeune homme vidait son verre, hochait la tête :

— C'est vrai, admettait-il. Je me demande d'ailleurs
ce qu'il fabrique ici, à moisir dans ce bled. Pourquoi ne
monte-t-il pas à Paris ? Dis donc, tu as vu l'heure ?
Allez viens, on s'en va...

Ils se levèrent et s'en furent, bras dessus, bras dessous.
Sylvie demeura rêveuse. Ces deux-là, en tout cas, ils n'hé-
sitaient pas : Roméo, c'est un champion ! Or, apparemment, ils s'y connaissaient, et assurément beaucoup mieux
que Sylvie. Alors ? A présent, Roméo chantait, en s'ac-
compagnant lui-même à la guitare. Une chanson lente
et triste, que Sylvie avait entendue déjà à la radio :

> *J'ai pensé qu'il valait mieux*
> *nous quitter sans un adieu...*

Les couples s'arrêtaient de danser, écoutaient. Des filles et des garçons s'asseyaient à même le sol.

> *...j'entendrai siffler ce train,*
> *toute ma vie...*

Tout le monde se taisait. Un silence presque religieux...
Un silence au centre duquel, en une sourde plainte,
mourut doucement la voix de Roméo... Durant quelques
secondes encore, le silence demeura total, puis les
applaudissements éclatèrent, frénétiques, mêlés de cris.
Roméo s'inclina. Il fit un geste : l'orchestre, docile, attaqua un mambo. Roméo, d'un bond souple, sauta à bas
de l'estrade et se dirigea vers la buvette. Il passa près de
Sylvie.

— Bonsoir, Roméo !

Surpris, il se retourna. Il la reconnut tout de suite,
vint à elle. Il sourit :

— Bonsoir, madame. Je suis heureux de constater que
vous devenez une habituée du Club. Votre mari ?

— Il dort !

Il la regarda, légèrement étonné.

— Et vous... vous venez danser ?...

Sylvie rit :

— Non, Roméo, rassurez-vous : je ne profite pas du sommeil de mon époux pour me livrer en cachette aux plaisirs du twist ! Ça vous gênerait de vous asseoir ? vous me donnez le vertige...

Il s'assit. Des têtes se tournaient vers eux. Il y avait des chuchotements.

— J'ai l'impression que je vais faire des jalouses, dit Sylvie, et qu'on va jaser !

Il haussa les épaules :

— Oh ! vous savez... C'est un des ennuis du métier ! Au début, c'est plutôt flatteur, mais ça devient vite assommant...

Il jeta à Sylvie un bref regard, hésita. Puis il attaqua de front :

— Pourquoi avez-vous dit à Magali qu'elle ne devait plus me voir ?

Sa voix tremblait un peu. Une flamme sombre s'allumait dans ses yeux. Amis, ou ennemis ? Sylvie aima cette façon de venir droit au but, spontanément, sans ruses, en négligeant les habituelles précautions oratoires. Elle eut dans le même temps plaisir à apprendre que Magali renonçait à désobéir.

— Parce que son père s'oppose à ce qu'elle vous rencontre, Roméo.

Il eut un geste d'impatience :

— Son père, son père... Que faites-vous de...

Sylvie l'interrompit :

— Je sais. Mais je sais aussi que son père, pour le moment, représente l'autorité. Elle n'a pas le droit de le tromper, de mentir. Parce que tromper et mentir, Roméo, c'est s'abaisser... Vous l'aimez, dites-vous ; allez-vous l'obliger à s'abaisser à ses propres yeux ?

Il ne répondit pas. Il haussa les épaules, détourna son regard.

— Bon, reprit Sylvie, jouons franc jeu, voulez-vous ? Bien entendu, vous pouvez aussi me signifier que tout ceci ne me regarde pas et que je peux aller me faire pendre ailleurs ?

De nouveau, une hésitation passa dans les yeux de Roméo. Ce fut bref.

— D'accord, dit-il. Jouons franc jeu. Alors ?

— Alors il faut que vous sachiez que je suis venue ici dans le seul but de vous parler. Vous l'aviez deviné, n'est-ce pas ?... J'ai eu avec Magali une longue conversation. Elle vous aime et elle souffre. Après quoi, mine de rien, j'ai un peu « cuisiné » son père... Je me doute bien que vous devez être en colère contre lui, Roméo. Et pourtant, je suis sûre qu'il a un cœur d'or, qu'il ne songe qu'au bonheur de sa fille. Mettez-vous une seconde à sa place : que feriez-vous ?

Le jeune homme eut un pâle sourire :

— Exactement comme lui, sans doute !

— Vous voyez bien !

— C'est lui qui vous envoie ?

Mais il vit se durcir le visage de Sylvie, s'excusa tout de suite :

— Je vous demande pardon, madame. Quand j'ai mal, je deviens méchant...

« Quand j'ai mal... » Il disait cela simplement, sans honte, sans orgueil, sans fausse pudeur. Et il avait l'air, soudain, d'un enfant malheureux. Avec effort, il reprit :

— Moi, sans Magali, je suis fichu. J'ai besoin d'elle comme de pain, comme de l'air qu'on respire... Elle est ma vie, vous comprenez ? ma vie... Je ne peux pas expliquer ça ! Avant, je n'ai rien fait de bon. Oh ! rien de mal non plus ! Rien du tout, quoi... Les copains, la musique... Je me disais que je débrouillerais toujours bien. Puis je l'ai rencontrée et ç'a été — comment dire ? — ç'a été une sorte d'éclatement en moi. J'ai compris d'un coup que je devais m'y mettre sérieusement. Mais que faire ? A part la guitare, je...

Sylvie écoutait. Elle était bouleversée. Elle écoutait ce grand garçon qui vidait son cœur devant elle. Ce grand garçon qui était en quelque sorte le héros de la région, dont toutes les filles étaient plus ou moins amoureuses, que tous les autres garçons enviaient vaguement, et qui humblement, tranquillement, étalait devant elle son amour et sa détresse. Le Club peu à peu se vidait. L'orchestre jouait un slow. Le garçon ramassait les bouteilles vides sur les tables.

— ...alors je sais que c'est une partie perdue d'avance, disait Roméo. Mais j'irai jusqu'au bout. Et si je perds, tant pis. J'aime autant mourir...

Des mots ? Oui. Mais pourtant, il était sincère, il y croyait. Sait-on à vingt ans qu'on ne meurt pas d'amour ? On ne meurt pas, non, mais on perd un morceau de son cœur, à jamais, et c'est quand même une irrémédiable petite mort...

— Roméo, dit Sylvie, si vous l'aimez, si vraiment vous l'aimez, pourquoi n'essayez-vous pas de faire autre chose ? Il y a mille façons de gagner sa vie ! Ou faut-il comprendre que plus encore qu'elle, vous aimez la musique ?

Il eut un sourire sans joie, demeura un instant sans répondre. Puis il dit :

— Je me moque de la musique ! Ça m'amuse, c'est tout. Mais un métier, ça s'apprend. C'est long. Avec ma guitare, il est possible que je puisse gagner vite de l'argent... Du moins, c'est ce que je croyais. A présent, j'ai compris...

— Vous avez compris quoi ?

— Qu'il faut un immense talent et une chance extraordinaire. Et que même si ça marchait, ce ne serait pas une vie, pour Magali. Alors...

— Alors ?

Il regarda Sylvie. Elle sentit qu'il était sur le point

de lui faire un aveu grave, important. Elle posa sa main sur son bras.

— Je désire vous aider, Roméo, si je le puis...

— Alors voilà... Cela, je ne l'ai dit à personne, pas même à Magali. C'est mon affaire à moi... Même si son père, contre toute attente, acceptait, je refuserais. Non... attendez ! Je refuserais parce que je ne veux pas venir les mains vides, vous comprenez ? Ce n'est pas de l'orgueil : c'est de la fierté. Vous vous souvenez, c'est à Saint-Raphaël qu'on s'est vu, la première fois... J'y vais trois jours par semaine, en secret, depuis un an. Je suis les cours d'hôtellerie...

Sylvie, stupéfaite, le regarda attentivement.

— Oui, reprit-il, à l'école d'hôtellerie. Parce que si un jour le Bon Dieu veut bien que j'épouse Magali, ainsi je pourrai travailler à l'hôtel ; et plus tard, quand M. Mougnasse en aura assez, continuer à sa place.

— Mais, Roméo, pourquoi ne l'avez-vous pas dit plus tôt ? Je suis sûre que s'il savait ça, le père Mougnasse, il...

Il hocha vigoureusement la tête :

— Non, je ne veux pas ! Personne ne doit savoir. J'aurais l'air de quoi ? D'un type qui se prépare à épouser la fille pour avoir l'hôtel... Pas question ! Je vous ai fait confiance, madame. Promettez-moi...

— Promis, Roméo !

— Votre parole ?

— D'honneur. A personne !

— Je vous crois. D'ailleurs, ce n'est pas tout. Je mets de l'argent de côté. Vous me voyez arriver sans une chemise, sans un costume ? Je voudrais avoir une petite somme, une bonne petite somme. Alors, je pourrais dire à M. Mougnasse : « Beau-père, voici mon diplôme de l'école, et voilà de quoi bâtir cette fameuse annexe à laquelle vous rêvez. » Vous comprenez ? Seulement, du train où ça va... Avec ce que je gagne au Club, j'en ai au moins pour dix ans ! Vous voyez, c'est pratiquement perdu d'avance...

Il soupira, regarda le ciel, refit son petit sourire triste :

— Quand je pense que des gars, au Tropic, à Nice, ils gagnent ça en une semaine, presque... Seulement voilà, eux, c'est des vedettes...

Sylvie tressaillit. Au Tropic, à Nice ?... Elle réentendait la grosse voix bourrue du père Mougnasse : « le jour où le gars Roméo, il passera sur la scène du Tropic, à Nice, je serai d'accord de causer... »

Roméo se taisait. Le Club était à présent presque désert. Quelques petits groupes de jeunes gens s'attardaient encore à bavarder avec les musiciens qui rangeaient leurs instruments. Sylvie regarda sa montre. Seigneur, presque deux heures du matin ! Si Gambier s'est réveillé, ça va faire du joli ! Elle se leva :

— Il faut que je rentre, Roméo... Je voudrais vous dire une chose : vous êtes un chic garçon. Non, ce n'est pas un compliment, c'est ce que je pense. Une chose encore : à qui aime, rien n'est impossible. En amour, le plus grand péché, c'est le manque de confiance. Il faut avoir confiance, de toutes vos forces ! Quant à ce que vous m'avez dit, soyez tranquille, je n'en parlerai pas... Voulez-vous me faire une promesse ?

— Laquelle ?

— Celle-ci, ne plus voir Magali vous est insupportable, je le sais. Promettez-moi cependant de ne rien faire pour la revoir avant mon départ, dans une quinzaine de jours...

Il fronça les sourcils :

— Je ne comprends pas...

— Ce sera la preuve que votre amour est grand, que vous la respectez dans sa soumission à son père. La preuve que votre amour est capable d'un sacrifice. La preuve que vous êtes un homme Roméo !

— Mais, après votre départ, quelle différence ?

A son tour, Sylvie hésita. Que répondre ? Il avait raison, ce garçon : ce qu'elle lui demandait était absurde. A moins que...

— Je ne sais pas, dit-elle. Il me semble que... Que vous devez me le promettre, Roméo !

Il la regardait. Non, il ne comprenait pas. Il ne comprenait pas et cependant il sentait en lui, obscurément, instinctivement, que quelque chose se passait. Quelque chose qui était encore informulé, immatériel, mais...

— Je vous le promets, dit-il.

Alors une joie soudaine fut en Sylvie. Elle rit :

— Salut, Roméo ! Au revoir...

Elle s'en fut comme elle était venue, en courant, les pieds nus, dans la poussière du chemin. Elle tenait à la main ses ballerines. Les étoiles brillaient dans le ciel. Roméo et Magali... Il faut, il faut absolument, n'est-ce pas ?

Gambier dormait à poings fermés. Curieux homme tout de même ! Vous pouvez allumer la lampe, aller et venir, ouvrir les armoires... c'est à peine s'il émet un vague grognement. Il enfouit sa tête sous les couvertures, se tourne contre le mur et continue de rêver à Dieu sait quoi. En revanche, si le réveil-matin posé sur la table de nuit s'arrête, Gambier aussitôt se réveille. Comprenne qui pourra...

Sylvie n'avait vraiment pas sommeil. Elle alla s'asseoir sur la terrasse, dans un des fauteuils d'osier. Elle alluma une cigarette. La nuit était chaude et parfumée. Çà et là, du côté de Saint-Raphaël, brillaient quelques lumières. De temps à autre, une voiture passait sur la route et on entendait longuement décroître le bruit du moteur. Puis le silence revenait. Tout le monde dort. Même les cigales ont cessé leur inlassable bruit de brindilles sèches. Tout le monde dort et c'est bizarre d'imaginer que ces gens qui durant la journée encombrent la plage, encombrent les rues et les villes et toute la terre, sont couchés dans leur lit, immobiles et les yeux clos. C'est comme si on tournait un commutateur... hop ! et l'humanité verticale bascule à l'horizontale. C'est le repos, la trêve. Une sorte de mort communautaire et provisoire... Demain à l'aube, on tournera de nouveau le commutateur et hop ! tout le monde se lèvera, se remettra debout et à s'agiter avec ardeur. Des millions de marionnettes, qui au rythme immuable des jours et des nuits exécutent ainsi une gymnastique pareillement immuable... Et c'est ainsi depuis que le monde est monde. Ce qui est comique, c'est qu'instinctivement chacun s'accorde à soi-même une importance considérable. Moi. Moi qui, moi que. Moi avec mon orgueil ; avec ce que je désire, ce que je veux et ce que je ne veux pas. Et vous allez voir ce que vous allez voir, car moi, moi je... Puis le Bon Dieu souffle là-dessus et c'est fini. Exactement comme vous soufflez pour l'éteindre sur la flamme d'une bougie. F, i, n, i... fini ! A tout jamais. Ce qui n'empêche pas que la terre continue de tourner, que les gens continuent d'aller et de venir et de s'agiter comme si de rien n'était. Vous êtes mort ? La belle affaire ! Est-ce que la mort d'une fourmi signifie quelque chose ? Absolument rien. Or, c'est pareil. Je me demande si les fourmis ont tendance, elles aussi, à se prendre pour le nombril de l'univers ? Mais non, ce ne serait pas risible. Je vous dis que c'est pareil, exactement pareil, car tout est relatif. Les fourmis font leur boulot. Elles travaillent honnêtement au service de leur société. Comme les hommes. Comme vous et moi. La seule différence, mais c'est une différence énorme, c'est que vous et moi demeurons libres. Libres de savoir ce qui est bien et mal. Libres de choisir. Libres de réussir ou de rater sa vie. Après la vie, Dieu jugera et décidera. Mais pendant la vie, nous sommes conscients et responsables. C'est cela qui fait la grandeur de l'homme. Mais ce n'est pas toujours facile, de choisir. « On ne vit qu'une fois ! » dit-on. Et alors il y a des gens qui veulent tout voir, tout connaître, goûter à tous les plaisirs, au pas de course. Tellement ils ont peur de rater quelque chose, de rater leur vie... Ils ratent ainsi, à coup sûr, le bonheur. Parce qu'il ne faut surtout pas confondre plaisir et bonheur. Le bonheur est une chose grave, qu'on fait naître en soi et qu'on cultive avec soin. On peut être riche et malheureux, pauvre et heureux. Le bonheur n'est pas une question de climat, de décor, de possession. C'est une question d'amour. Oui, le bonheur, c'est l'amour. Pas seulement l'amour d'un homme et d'une femme, mais toutes les formes de l'amour : l'amour maternel, l'amour fraternel, l'amour d'autrui... Et qu'est-ce que l'amour, sinon le désir de rendre heureux qui on aime ? L'amour n'existe que par le don généreux de soi. Et le bonheur qu'on reçoit est proportionnel au bonheur que l'on donne. Dès lors, réussir sa vie, c'est donner et se donner, sans compter. C'est s'oublier soi-même. Cela vous semble difficile ? rebutant ? Oui. Personne ne sait cela de science innée. Ce serait trop simple, et où serait la vérité ? Chacun doit faire son expérience. D'aucuns ne savent tirer aucune leçon de leurs expériences. Ils ne comprennent pas. Ils s'obstinent à penser : « Je veux être heureux. Moi, j'ai le droit de... moi, j'existe, donc ...moi, moi je ... » Ils ne sont jamais satisfaits. Ils vieillissent, ils sont solitaires et leurs mains demeurent vides. C'est le drame sans remède de l'égoïsme. D'autres découvrent le chemin discret du bonheur... Comme Sylvie. Elle est merveilleusement heureuse. Parce qu'elle ne vit que pour Gambier, que pour Eric et Virginie, que pour répandre la joie autour d'elle. Elle sème le bonheur partout où elle passe. Elle le récolte à pleines brassées ! Elle sait que le bonheur n'est pas nécessairement toujours gai : ce serait affreusement monotone ! L'existence est hérissée de difficultés de toutes sortes. Mais cela, c'est le superficiel, la surface. C'est ce qui passe. Seul compte ce qui demeure, ce qui fleurit au plus profond de l'âme. Cette tendresse immense et solide qui chante doucement, chaudement, dans le cœur de Sylvie... Ce désir qu'elle a, cette nuit, de voir naître le bonheur dans les yeux de Roméo et de Magali...

Elle écrasa sa cigarette dans le cendrier, soupira. Ah ! l'argent, quelle plaie ! Evidemment, le père Mougnasse a raison. Et Roméo aussi... « Vous me voyez arriver sans une chemise, sans un costume ?... » Un chic type. Il suit des cours à l'école d'hôtellerie, sans rien dire, même à Magali ! Il est fier et lucide. « Je voudrais avoir une petite somme, une bonne petite somme... » Parce qu'il ne veut surtout pas avoir l'air d'un coureur de dot ! Parce qu'il veut pouvoir traiter quasiment d'égal à égal avec le père Mougnasse, d'homme à homme. C'est tout à son honneur. Mais il entreprend une tâche démesurée. Il est seul. Il est sans relations, sans personne pour lui ouvrir les portes. Il le sait. Il sait qu'il n'a pratiquement aucune chance... Ce n'est pas navrant, ça ? Il suffirait, pourtant, de si peu de chose ! « Quand je pense que des gars, au Tropic, à Nice, ils gagnent ça en une semaine, presque... » C'est injuste. Et puis non, ce n'est ni juste ni injuste. C'est ainsi, un point c'est tout. C'est la vie, quoi ! Pour Roméo comme pour le père Mougnasse, ce fameux Tropic est quelque chose comme le sommet de l'Himalaya, comme la Terre promise... Quelque chose d'inaccessible. Une porte infranchissable... Et si, par miracle, on réussissait à la franchir, tout s'arrangerait. C'est trop bête. Après tout, une porte n'est jamais qu'une porte ! Il suffit d'avoir la clef... « Et si j'allais trouver le directeur du Tropic, pensa Sylvie, si je lui expliquais ? Puisque Roméo a du talent... » Oui. Mais elle savait que c'était inutile. On ne la recevrait même pas. A Nice, c'est quelqu'un, le directeur du Tropic. A Nice, Sylvie n'est personne. Une vague secrétaire répondrait que monsieur — au fait, comment s'appelle-t-il ? — que M. Chose ou Machin est désolé, qu'il regrette beaucoup, mais que, etc., etc. On connaît la chanson... Une forteresse, ce Tropic ! Ça se comprend. Les gars-qui-ont-du-talent (ou qui croient en avoir) doivent faire la file devant le bureau de M. Chose ou Machin et il n'en sortirait pas, cet homme, s'il devait les recevoir tous. Alors ? Alors il serait sans doute plus raisonnable de ne plus y songer, de profiter tranquillement de ces quelques jours de vacances... C'est bien dommage pour Magali et pour Roméo, mais puisqu'il n'y a rien à faire... L'ennui, c'est que pour Sylvie les mots « rien à faire » sont inacceptables. Elle les perçoit comme un défi qu'aussitôt elle désire relever. Rien à faire ? hé ! hé ! c'est ce qu'on va voir... Réfléchissons. Roméo doit pouvoir entrer au Tropic. Et de un. Il faut trouver et convaincre quelqu'un de plus puissant que le directeur du Tropic. Et de deux. Le problème est posé. Il suffit à présent de le résoudre. Ouais, façon de parler... Sylvie avait beau se creuser la cervelle, elle devait admettre qu'elle ne connaissait personne dans les milieux du disque et du music-hall. « Demain, pensa-t-elle, je demanderai à Philippe de me conduire au Tropic. Il râlera bien un peu pour la forme, mais ça n'a pas d'importance. J'ai envie d'aller voir de plus près ce temple de la gloire, de flairer l'atmosphère... Qui sait ? Je mettrai ma robe en lamé. Ça doit être une boîte horriblement chic et horriblement chère, peuplée de snobs. Pauvre Philippe ! Bah ! une bouteille de champagne ne le ruinera pas... Il peut bien offrir ce petit sacrifice aux dieux de l'amour ! Tiens, à propos, peut-être qu'on reverra ce cher duc de Cherston, à Nice ?... »

Sylvie, qui laissait vagabonder sa pensée, brusquement tressaillit. Le nom du duc de Cherston lui était venu à l'esprit sans même qu'elle y songeât, en quelque sorte par hasard. Or... Or le duc de Cherston n'était-il pas une « vedette » de l'actualité politique mondiale ? N'était-il pas un grand, et même un très grand personnâge, infiniment plus puissant qu'un directeur de boîte de nuit ?

Sylvie fronça les sourcils. Est-ce que ?... Elle hésitait. Dans sa poitrine, son cœur s'était mis à battre — et c'était un signe qu'elle connaissait bien ; le signe qu'elle venait de découvrir, peut-être, la bonne piste... Comme si une sonnette d'alarme, en elle, se mettait à grelotter... Elle fit un effort pour rester calme. Voyons, voyons, ne nous emballons pas ! D'abord, le duc, je ne sais pas du tout où il est. Ensuite, en supposant que je le retrouve, je ne me vois pas lui demandant d'intervenir. « J'ai un petit copain qui joue de la guitare. Vous ne pourriez pas faire quelque chose ? » Un peu comme si vous demandiez au général de Gaulle de vous procurer une bonne à tout faire ! Il est bien gentil avec moi, le duc, mais tout de même, il y a des limites à ne pas dépasser... Il va poliment m'envoyer paître. Sinon se vexer, se fâcher... Imaginons même qu'il m'écoute avec bienveillance, que pourrait-il faire en pratique ? Je doute qu'il ait beaucoup de relations dans ce genre de monde... Alors ?

Elle se disait que c'était absurde et qu'il ne fallait plus penser au duc de Cherston. Raisonnablement, intelligemment, elle se répétait qu'elle devait oublier cette idée saugrenue. Elle se le disait et elle se le répétait. Mais déjà l'impatience était en elle. Déjà elle savait que dès demain elle allait se mettre en chasse, poussée par une force irrésistible. Et Gambier ? Il sera furieux, évidemment. Il la traitera de folle et l'accusera de gâcher leurs vacances. En quoi il aura tout à fait raison. Mais Roméo et Magali ?... Mais l'amour et le bonheur de deux êtres jeunes, purs et sincères ?... Sylvie sourit. Elle se leva, regarda le ciel. « Vous me donnerez bien un petit coup de main, Seigneur, non ? »

Elle rentra dans la chambre. On entendait la respiration calme et régulière de Gambier. Ce pauvre Gambier, qui ne se doutait de rien, qui rêvait de vacances paisibles...

Sylvie se coucha, ferma les yeux. Il faut dormir, dormir. Il faut se reposer pour être en pleine forme, demain. Une petite chance, une toute petite chance... C'est magnifique ! Il faut dormir, dormir. Mais elle était si énervée qu'elle se tournait et se retournait sur son lit sans parvenir à trouver le sommeil.

La nuit, parfois, quelle perte de temps !

6

Vous avez déjà remarqué que, souvent, les projets les plus audacieux et les plus extravagants paraissent la nuit tout à fait normaux et aisément réalisables ? C'est une bizarre illusion d'optique, que le jour a tôt fait de dissiper. Ainsi, le lendemain matin, Sylvie dégrisée estima objectivement que ses cogitations nocturnes étaient bel et bien ridicules. Elle en conçut un vif dépit, qui n'échappa pas à Gambier. Ils prenaient, dans leur chambre, le petit déjeuner. Malgré l'heure matinale, le soleil entrait à flots par la fenêtre et on entendait des cris d'enfants qui, déjà, jouaient sur la plage.

— Tu n'as pas l'air gaie, gaie, ce matin ! dit Gambier en ouvrant une bouche énorme pour y engouffrer un demi-croissant. Tu as mal dormi ?

Elle hésita. Elle se sentait découragée. Elle avait besoin d'être consolée. A qui se confier, sinon à lui ? Bien sûr, entre eux le dialogue était souvent vif, ironique, plein d'humour et de fantaisie. Mais sous la légèreté des mots, sous l'apparence des attitudes désinvoltes, une amitié solide, profonde, totale les unissait, par-delà l'amour. Dès que quelque chose ne va pas, Sylvie sait que Gambier est là et qu'elle peut compter sur lui. Elle sait qu'il sera patient, compréhensif et fort. Elle sait qu'il sera bon et généreux, et qu'il fera tout pour l'aider. Même s'il se moque d'elle et répond par une boutade. A chacun ses pudeurs. Il la regardait avec tendresse, en souriant à demi. Elle résolut alors de tout lui dire : sa conversation avec Magali et avec les parents de la jeune fille, sa visite de la veille au Club, ses méditations sur la terrasse... Il l'écouta avec attention, sans toutefois cesser de manger avec appétit. Il ne l'interrompit pas une seule fois.

— Voilà, conclut-elle, tu sais tout : Je t'en supplie, Phil, ne me dis pas que c'est évident, que c'est bien fait pour moi et que ça m'apprendra à vouloir me mêler de ce qui ne me regarde pas... J'aurais tellement voulu pouvoir les aider, ces petits ! Tu ne peux pas comprendre. Tu es un homme, toi !

Il sourit :

— Midinette !

— Peut-être... N'empêche que c'est dommage : ils sont jeunes, ils sont beaux, ils s'aiment... Et tout cela est fichu à cause de ce maudit argent !

Gambier acheva de boire son café, reposa la tasse sur le plateau.

— Mon œil ! dit-il.

— Pardon ?

— Je dis : mon œil ! Et je veux dire : rien n'est fichu !

— Mais... pourquoi ?

Il haussa les épaules :

— Tiens ! parce que Sylvie va arranger tout ça... Et ce que Sylvie veut, le gars du Tropic le voudra ! Amen.

Surprise, elle leva la tête :

— Je ne comprends pas, Phil...

De nouveau, il sourit :

— C'est pourtant simple, clair et limpide comme de l'eau de roche ! Ma chère petite femme, je ne suis peut-être pas exagérément futé, mais tu aurais tort de prendre les enfants du Bon Dieu pour des canards sauvages... En d'autres termes tu aurais tort : primo, de me prendre pour un doux crétin ; secundo, d'imaginer que je suis une brute obtuse et sans cœur. Non, silence quand je parle, s'il te plaît ! Sois gentille, donne-moi du café... avec du lait... et deux sucres, merci !

Il avala son café, puis se frappa le front de l'index :

— Il y a quelque chose, là-dedans ! reprit-il. Je pense, moi, dans ma petite tête. Je pense, donc je déduis ! Ainsi, j'ai bien remarqué que tu rumines des idées, que tu rêves — ô tendre colombe ! — d'ouvrir à ces tourtereaux les portes roses de l'amour... Et de un. Là-dessus, j'ai réfléchi. Et je me suis dit que, tout compte fait, c'était une bonne action. Bref, que pour une fois — et une fois n'est pas coutume — tu avais raison ! Et de deux ! Moralité : sois prudente et circonspecte et — soit dit sans offenser ce brave Alphonse — fais comme le nègre : continue !

Sylvie n'en revenait pas :

— Tu veux dire que tu es... que tu n'es pas ?...

— Exactement ! Ça t'arrive souvent, d'avoir du mal à t'exprimer ? Tu veux un papier et un crayon pour expliquer tout ça ?

Ainsi, il était d'accord ! Ainsi, lui aussi, en dépit de sa cervelle raisonneuse et raisonnable d'homme logique, il souhaitait que Roméo et Magali pussent librement s'aimer et se marier... Avouez qu'il est étonnant, parfois, ce Gambier. Lui, s'intéresser à un roman d'amour... On aura tout vu !

Sylvie, médusée, doutait encore :

— Tu ne plaisantes pas, Phil ? Tu m'as traitée de midinette et...

— Et quoi ? C'est que j'ai moi aussi mon petit côté midinette, voilà tout !

— Mais pourtant tu étais contre ! Tu semblais partager entièrement l'avis du père Mougnasse...

— C'est-à-dire que je partage son avis dans la conjoncture actuelle. On dit conjonc- ou conjec-, dans ce cas-ci ! On dit conjonc- ! Mais je serai ravi si l'habile Sylvie parvient à le modifier favorablement, la conjoncture ! Tu y es ?

Sylvie, à présent, souriait . Elle le regardait. Elle le regardait avec tendresse, avec gratitude. Il est adorable, quand il veut !

— Je t'adore, Phil !

— Mais... j'espère bien ! Cela prouve que tu es une fille intelligente et pleine de goût ! Tu sais, Sylvie...

Il se tut une seconde, puis il dit très vite :

— L'amour, nous savons ce que c'est, nous, hein ? Alors si eux aussi, ils pouvaient avoir ce bonheur, je trouve que ce serait bien, tu comprends ?

Sylvie ferma les yeux. Adorable, vous dis-je, quand il veut ! Faire des compliments, prononcer des phrases joliment tournées, non, ce n'est pas son genre. Si vous aimez qu'un homme vous fasse gracieusement la cour et vous débite des fadaises, ne comptez pas sur Gambier. Il déteste ça. D'ailleurs, il n'est pas doué. En revanche, de temps à autre, il dit des choses simples et merveilleuses, qui valent mille fois tous les poèmes d'amour du monde...

— Philippe, tu es un mari...

— ...formidable ! je sais. Ce n'est pas une raison pour me priver de nourriture ! Délicieux, ces croissants, non ? Passe-moi le plateau, mon ange... Merci.

Il installa le plateau à côté de lui et se remit avec ardeur à beurrer un croissant. Sa bonne humeur était si visible, si contagieuse, que Sylvie avait oublié ses appréhensions.

— Bon, dit-elle, et en pratique, que fait-on ?

— Moi, rien... Je regarde... Beaucoup trop subtil pour moi, ce machin ! Je risquerais de tout gâcher... Quant à toi, tu vas voir ton duc et tu te débrouilles avec lui...

— Le duc de Cherston ?

— Tu en connais beaucoup d'autres ?

— Non. Je veux dire : tu ne crois pas qu'il va m'envoyer promener ?

— Ça, c'est un risque à courir. Mais je ne crois pas. C'est un homme bien élevé, non ?

— Sûrement, mais tu crois qu'il pourra faire quelque chose ?

Gambier leva les yeux au ciel :

— Ma petite Sylvie, je ne suis pas Dieu le Père. Si j'étais Dieu le Père, je ne serais pas ici ! Si je n'étais pas ici, tu n'y serais pas non plus. Si tu n'y étais pas, Magali n'aurait probablement aucune chance d'épouser son twisteur. C. Q. F. D. Donc, utilise tes cartes. En fait, tu n'en possèdes qu'une : le duc. Est-elle bonne ou mauvaise, c'est ce qu'on verra. Mais pour le savoir, il faut la jouer. Bien d'accord ?

— D'accord. Après tout, qui ne risque rien n'a rien. De toute manière, il ne va pas me manger ! Oh ! Phil, je me sens toute chose...

De nouveau, l'impatience était en elle. Elle se leva, virevolta sur elle-même, battit des mains :

— A nous deux, M. le duc de Cherston ! Et gare à vous si vous n'acceptez pas d'ouvrir à mes tourtereaux — comme dit mon seigneur et maître — les portes roses de l'amour... en l'occurrence celles du Tropic ! Ouais... La première chose, c'est de savoir où il crèche, ledit duc ?

— Sûrement pas dans une auberge de jeunesse ! dit Gambier. Un conseil : tu prends le guide Michelin qui se trouve dans la valise, tu pointes les palaces et tu téléphones. Compris ?

— Compris !

Aussitôt dit, aussitôt fait... Sylvie prit le guide Michelin, l'ouvrit à la page Nice, s'assit devant le téléphone et décrocha...

Elle eut de la chance : dès le second essai, la réception du Carlton l'informa que le duc était effectivement descendu à cet hôtel, mais qu'il avait donné ordre qu'on ne le dérangeât pas avant onze heures. Sylvie en savait assez.

— Une chance, Phil ! Quelle heure est-il ? Huit heures presque et demie... Pas la peine de tergiverser : j'y vais ! Tu m'accompagnes ?

— Non. C'est une démarche typiquement féminine... J'aurais l'air idiot, moi, dans ce rôle sentimental ! Et puis, seule, tu te sentiras plus à l'aise...

— Juste ! Tu me donnes les clefs !

— Quelles clefs ? les clefs du Carlton ?

— Ne sois pas réellement idiot, mon chéri... celles de ta voiture, quoi !

Aïe ! Gambier, une fois encore, n'avait pas pensé à cela... Il fit la grimace.

— Ça va, grogna-t-il. Elles sont dans la poche de mon veston... Ce Roméo et cette Magali, ils ne connaîtront jamais la grandeur de mon sacrifice ! A propos, je suppose que tu sais encore comment on passe la marche arrière ?

— Rassure-toi, mon chéri ! Je sais encore. Et je te promets de ne pas dépasser le 140 ! *Bye, bye*... et prie pour moi !...

Elle vint à lui, lui posa sur le front un petit baiser rapide, prit les clefs et se sauva en riant. Demeuré seul, Gambier resta rêveur un instant. Fallait-il prier pour Sylvie, ou plutôt pour la *Taunus ?*... Il sourit, soupira, beurra machinalement un nouveau croissant avant de constater qu'il n'avait plus faim. Décidément, c'est vrai :

l'amour — fût-ce celui des autres — a la singulière propriété de vous mettre la tête à l'envers !

■

Le duc occupait, au sixième étage au Carlton, une suite de plusieurs pièces. Il reçut Sylvie dans un ravissant petit salon de style Empire. Les fenêtres ouvraient sur la mer. Sylvie, se fiant à son sens de l'improvisation, n'avait rien préparé. Le duc avait revêtu une robe de chambre en soie naturelle, de couleur bleu nuit.

— Je vous prie d'excuser ma tenue, dit-il, mais je n'ai pas voulu vous faire attendre.

— C'est à moi de vous demander pardon, protesta Sylvie un peu confuse ; je vous dérange et...

Machinalement, elle regarda sa montre. Le duc sourit.

— Onze heures et dix minutes, dit-il. Vous n'êtes donc pas trop tôt et vous ne me dérangez nullement. Me ferez-vous la grâce d'accepter une tasse de thé ?

Sans attendre la réponse, il se penchait, pressait sur la table un bouton de cuivre. Et Sylvie, soudain, se sentait affreusement intimidée. En dépit de sa simplicité, presque de sa bonhomie, le duc avait une naturelle noblesse qui commandait le respect. Tout autre que lui, surpris ainsi en négligé, sans col ni cravate, se fût trouvé en quelque sorte en état d'infériorité. Lui pas. Il était aussi souverainement à l'aise que s'il eût été en smoking. Il s'installait confortablement dans son fauteuil, croisait sur ses jambes les pans de sa robe de chambre, allumait une cigarette :

— La fumée ne vous dérange pas ? Vous fumez ?

D'un signe de tête, Sylvie refusa. Elle avait vaguement la désagréable impression d'être une misérable serve sur le point de présenter une requête au roi ! C'était idiot. Elle le connaissait bien, pourtant, le duc ? Ne lui avait-il

pas prouvé naguère son extrême gentillesse ?[1] Il y a
quelques jours à peine, n'avaient-ils pas bavardé joyeusement ensemble ? Alors ? Oui. Sylvie ne savait pas à
quoi cela tenait. Peut-être au fait que le duc, dans cet
élégant et somptueux salon, redevenait involontairement
un grand seigneur inaccessible...

La porte s'ouvrit et un garçon d'hôtel parut. Sans un
mot, il posa sur la table le plateau avec la théière et les
tasses, se prépara à servir.

— Je servirai moi-même, dit le duc.

Le garçon s'inclina et sortit. Sylvie avait le thé en
horreur.

— Lait et sucre ?

— Oui, dit-elle, deux morceaux...

Par-dessus tout, elle détestait le thé sucré ! Elle ne savait plus ce qu'elle disait, ce qu'elle voulait, ce qu'elle
faisait là ! Elle regardait le duc verser le lait et elle se
demandait si elle ne ferait pas mieux de se lever, d'ouvrir la porte, de filer sans demander son reste ! Un trac
fou, irrésistible, inexplicable... Le duc lui présenta une
tasse.

— Merci, dit-elle.

Elle but. Pouah ! Elle fit une grimace, eut un hoquet,
avala de travers. Alors elle se mit à tousser, à tousser
comme une malheureuse, à perdre haleine, et à pleurer
dans sa tasse qui dansait dangereusement dans ses mains...
Un comble ! Surpris, puis amusé, le duc se levait, lui
prenait la tasse des mains, se mettait à lui tapoter vigoureusement le dos... Vous imaginez ça, le roi qui tapote
le dos de l'humble serve en disant :

— Holà ! ça va mieux ? ça va mieux ?

En un éclair, Sylvie perçut le côté comique de la situation. En un éclair, par un de ces subits revirements qui
caractérisent sa nature spontanée, elle passa de la plus
profonde détresse à la plus irrépressible gaieté. Elle se

---

[1] Voir *Sylvie se marie.*

remit à tousser et à s'étrangler, mais cette fois de fou rire... Cela dura bien deux minutes. Le duc, un peu étonné, la regardait en souriant. Finalement, elle se calma. Elle s'essuya les yeux. Ouf ! Cela lui avait détendu les nerfs. Elle se sentait à présent tout à fait à l'aise et décontractée.

— Seigneur ! dit-elle, qu'allez-vous penser de moi ?

— Mais... que vous avez avalé de travers, chère madame ! Cela arrive à tout le monde.

—Moi, ça m'arrive chaque fois que je bois du thé. C'est physique. J'éprouve pour le thé une véritable répulsion !

Mais ?...

Elle rit :

— Oui. J'ai été si intimidée, tout à coup, que j'aurais accepté de l'eau de Javel, si vous m'en aviez proposé !

— Intimidée ? Par moi ? Je me demande bien pour quelle raison... il me semble que nous sommes de vieux amis ?

— Oui. Vous savez les femmes sont de bizarres créatures !

Il sourit :

— Bizarres, mais charmantes... J'en ai connu une qui avait la manie de voyager en avion vêtue d'une éblouissante robe de mariée. Ça vous rappelle quelque chose ?

— Cela me rappelle surtout que vous avez été pour moi, alors, extraordinairement gentil... Et c'est parce que j'y ai songé que je suis ici...

— Ah ? Vous voulez recommencer ? Il me semblait pourtant que le commandant Gambier...

Sylvie rit :

— Rassurez-vous, il ne s'agit plus de moi. Il s'agit cependant d'une situation à peu près semblable... Et je sais, monsieur de Cherston, — je le sais d'expérience personnelle — que vous comprenez les histoires d'amour !

Il la regarda :

— Vous m'inquiétez, petite madame, et vous piquez ma curiosité... Si vous m'expliquiez cela ?

Alors Sylvie lui dit tout ; et comment elle avait été amenée à penser à lui.

— Je me rends très bien compte, conclut-elle, du caractère saugrenu de ma démarche. De même, j'imagine parfaitement que vous ayez d'autres chats à fouetter... Seulement voilà : vous êtes un homme puissant, et je me suis dit que peut-être ?...

Elle se tut. Le duc, impassible, buvait son thé à petites gorgées. Il y eut un silence. Dans le couloir, une porte claqua. Puis le duc reposa sa tasse sur la table.

— Roméo et Magali, dit-il, c'est joli... Toutefois, si je crois connaître à peu près tous les chefs d'Etat et tous les ministres, je vous avoue que j'ai vraiment très peu d'introductions auprès des directeurs de music-halls... Je connais le Tropic pour y être allé l'une ou l'autre fois, c'est tout.

Il sourit :

— Je suis infiniment moins puissant que vous ne paraissez le croire ; et le portier du Tropic serait sans aucun doute beaucoup plus qualifié que moi, en l'occurrence, pour vous aider.

« Ça y est, pensa Sylvie, il est vexé. Tant pis. Il me fait joliment comprendre que je me suis trompée d'adresse. Le duc de Cherston n'est pas un portier de boîte de nuit, évidemment ! Ma petite Sylvie, c'est loupé... »

— Dans ce cas, monsieur de Cherston, il ne me reste qu'à m'excuser. Si j'ai commis un impair, je vous demande de bien vouloir...

Il la regarda, surpris :

— Un impair ? Ah ; je comprends...

De nouveau, il sourit :

— Je devrais vous gronder, fille de peu de foi ! Car sincèrement je regrette de n'être pas, pour vous servir, le portier du Tropic !... Il doit pourtant bien y avoir un moyen...

Il s'interrompit, réfléchit :

— Bon, reprit-il, laissez-moi penser à cela. Et ne croyez surtout pas que je vais m'empresser de ne plus y songer. Car je crois en effet que le bonheur des êtres est chose importante. Beaucoup plus importante que toutes les conférences, que tous les discours politiques du monde... Voulez-vous me dire où je puis vous atteindre, me donner votre numéro de téléphone ?

Lorsque Sylvie reprit au volant de la *Taunus* la route de Saint-Aygulf, elle était persuadée que le duc ne lui donnerait jamais signe de vie. Certes, il l'avait reçue et écoutée avec courtoisie, mais elle avait senti en lui une sorte d'agacement, de réticence. Plutôt, une sorte d'indifférence froide qui était encore plus significative. Au fond, elle aurait dû s'y attendre : en quoi le destin d'une fille d'hôtelier et d'un joueur de guitare peut-il intéresser un personnage aussi considérable que le duc de Cherston ? Il ne faut jamais mélanger les torchons avec les serviettes. Cela est normal. Un peu navrant, oui. Mais normal, mais humain...

Sylvie, déçue, le cœur triste, appuya sur l'accélérateur.

— Alors ? demanda Gambier.

— Alors c'est tintin, Phil...

Elle lui narra sa visite au duc, lui dit le sentiment qu'elle en avait.

— ...tu verras, Phil, quelques gouttes d'eau bénite et bonsoir chère madame ! Remarque que je comprends ça...

Gambier souffla par le nez la fumée de sa cigarette.

— Qui sait ? dit-il, *wait and see*. Ce n'est pas sûr. Il n'allait tout de même pas te sauter au cou, ton duc ; se mettre à gambader d'enthousiasme dans son salon Empire ! Ces gens-là, tu le sais bien, ne réagissent pas comme nous... Moi, comme je l'ai vu l'autre jour, il m'a semblé que c'était un type bien.

— Un type bien, ça ne veut pas dire un cœur... de midinette !

— Ça veut dire un bon cœur, Sylvie. Moi je parie qu'on le reverra, et bientôt...

Il sourit :

— Fie-toi à mon sixième sens !

Mais Sylvie n'y croyait pas. Elle se coucha sur le sable, ferma les yeux.

— A propos, demanda Gambier, la voiture, ç'a été ?

Voilà comment ils sont, les hommes. Lui, son principal souci, c'est sa voiture. L'autre, c'est de s'imaginer que noblesse oblige, oblige à se croire d'une essence supérieure Quant à Magali, petite fille douloureuse, au fond ça ne les touche pas. Des égoïstes, oui.

— Ç'a été, grogna Sylvie. Tais-toi, je dors !

Elle se sentait d'humeur à le mordre. A mordre tous les hommes de la terre !

■

Il était neuf heures du soir. Sylvie et Gambier, assis dans le jardin, buvaient leur pastis quotidien. Gambier essayait d'alimenter la conversation et Sylvie, morose, répondait par monosyllabes. De la journée, on n'avait pas vu Magali, qui n'avait pas quitté sa chambre. Le père Mougnasse, après avoir raté sa bouillabaisse, avait failli se disputer avec les Anglais et était d'une humeur de dogue. Une atmosphère de drame pesait sur l'hôtel. « Et dire, pensait Gambier, qu'on part en vacances pour oublier ses soucis ! enfin, c'est la vie... »

Soudain, un bruit de moteur rageur brisa le silence. Le conducteur changea de vitesse et la pétarade redoubla. De toute évidence, la voiture s'engageait dans l'étroit raidillon menant à l'hôtel. Sylvie et Gambier tournèrent la tête. Une seconde plus tard, la petite Alfa rouge franchissait la grille, se ruait jusqu'à la pelouse et s'immobilisait après une courte glissade dans la poussière. Sans prendre la peine d'ouvrir la portière, le conducteur grimpait sur son siège et, d'un bond souple, sautait sur le sol.

— Hello !

Sylvie, éberluée, reconnut le duc de Cherston. Il était vêtu d'un blazer bleu marqué aux couleurs de son club de yachting. Il souriait.

— J'espère que je ne vous dérange pas ?

Sylvie le regardait comme s'il fut tombé de la lune. Elle était incapable de prononcer un mot. Ce fut Gambier qui se chargea d'accueillir le duc, qui l'invita à s'asseoir et qui alla chercher un verre à son intention. Le duc se tourna vers Sylvie.

— Madame Gambier, avez-vous perdu votre langue ? Ou ai-je subitement le nez de travers ?

Elle hocha la tête, fit un effort :

— Non ! mais je croyais… j'étais persuadée…

— Que je ne viendrais pas ?

Il la menaça du doigt :

— Fille de peu de foi ! répéta-t-il. J'avais bien deviné, à votre petit air mi-fâché, mi-déconfit, que vous aviez cette honteuse pensée ! C'est d'ailleurs pour cette raison que je me suis un peu hâté…

Sylvie, confuse, se mordit les lèvres.

— J'avoue, confessa-t-elle. En revanche, je dois vous dire que mon mari, quant à lui, a vigoureusement pris votre défense !

— Comme quoi, dit en riant Gambier, qui revenait avec un verre et un seau à glace, l'honneur de la famille est sauf ! A propos, monsieur de Cherston, vous aimez le pastis ?

— Oui, dit le duc. Avec beaucoup de lait et deux morceaux de sucre !

Il se mit à rire, ainsi que Sylvie, sous l'œil ahuri de Gambier.

— Ne t'inquiète pas, mon chéri, je t'expliquerai. C'est une petite histoire de thé entre M. de Cherston et moi…

Le duc but une gorgée de pastis, le trouva excellent et, tout de suite, en vint au fait :

— Car je suppose bien, vous connnaissant, petite madame, que vous brûlez d'impatience ? Bon. Je ne vous cacherai pas que votre visite m'a laissé perplexe un bon moment. Comment diable toucher le directeur du Tropic ? On cherche toujours midi à quatorze heures... J'ai exposé l'affaire à mon secrétaire. C'est un bon garçon placide et positif. Bien qu'il ait fait ses études à Oxford, et qu'il soit donc très correctement éduqué, il n'a pu s'empêcher de me regarder avec une inquiétude consternée, en se demandant visiblement si j'étais devenu stupide... « Mais, sir, m'a-t-il répondu, ne pensez-vous pas qu'il serait tellement plus simple et efficace d'en parler au gérant ? » Evidemment ! C'était l'œuf de Colomb ! Les clients du Carlton ne sont-ils pas, presque automatiquement, clients du Tropic ? J'ai donc fait venir le gérant. Une heure plus tard, je me trouvais avec lui dans le bureau de M. Soury...

— De monsieur ? demanda Sylvie.

— Soury... comme une souris, oui, mais avec un y. C'est le directeur du Tropic. Ne vous fiez pas à ce nom si mignon : en fait, il ressemble plutôt à un bouledogue. C'est un homme peu aimable, et plutôt vulgaire. De toute évidence, notre visite ne lui causait pas un plaisir extrême. Mais le gérant, avec cette courtoise et implacable logique qui est tout le secret de la diplomatie française, lui a clairement fait comprendre qu'en cas de refus, il se pourrait bien — oh ! tout à fait par hasard — que les clients du Carlton se mettent à déserter le Tropic... Ce sont là des coïncidences inexplicables, mais qui arrivent, n'est-ce pas ? Bref, l'excellent M. Soury a compris. Il a toutefois tenu à nous faire savoir que le Tropic n'était pas une œuvre philanthropique et que, par conséquent, il voulait bien engager votre Roméo et ses boys pour une semaine, mais au strict tarif syndical.

— N'empêche, dit Gambier, c'est magnifique ! Et inespéré !

— Magnifique ! répéta Sylvie. Monsieur de Cherston, vous êtes... vous êtes un duc de contes de fées ! Comment vous remercier ?

Roméo au Tropic ! Ça y est : c'est gagné ! Papa Mougnasse, m'est avis que vous avez bel et bien perdu votre pari !...

Le duc de Cherston sourit :

— Me remercier ? Mais de quoi ? Remerciez plutôt mon intelligent secrétaire, et cet habile gérant... Ah, une chose encore : c'est dès la semaine prochaine que Roméo doit passer au Tropic, les programmes ultérieurs étant complets. A votre protégé de se débrouiller...

— Il se débrouillera, dit Sylvie, comptez sur moi. Au besoin, j'irai moi-même l'installer de force sur la scène ! Que doit-il faire ?

— Aller le plus tôt possible voir M. Soury, qui fera préparer le contrat...

Le duc se leva :

— A présent, je vous prie de m'excuser, mais je suis attendu. J'espère que nous nous reverrons au Tropic, pour y applaudir ensemble notre amoureux ?

— Sûr, dit Sylvie. Monsieur de Cherston, je voudrais, je voudrais... oh ! et puis tant pis !

Et d'un élan elle s'élança vers le duc et lui mit, sur chaque joue, un baiser sonore.

De nouveau, il sourit. Puis s'inclina galamment :

— A ce prix-là, chère madame, je me ferai un plaisir d'aller, chaque jour, rendre visite à M. Soury ! Je vous souhaite une bonne nuit...

Il s'inclina, serra la main de Gambier, sauta dans sa voiture et démarra dans un assourdissant vacarme d'échappement libre. Un instant, Sylvie demeura immobile. Puis une joie folle déferla en elle.

— Phil ! Tu te rends compte, Phil ! C'est merveilleux, merveilleux !

Elle se mit à valser toute seule sur la pelouse, ravie, rieuse, ivre de bonheur...

C'est gagné, Roméo !

— Phil ! il faut tout de suite aller au Club, prévenir...

Elle se tut. Le père Mougnasse paraissait sur le pas de la porte. Il était encore plus sombre que tout à l'heure.

— C'est votre ami qui fait un pareil boucan ? s'indigna-t-il. Il y en a quand même qui ne se gênent pas ! Bonne mère, pour quoi qu'il prend mon hôtel ? pour un autodrome ?

— Non, dit Sylvie, pour l'antichambre de la gloire, le symbole des paris perdus et le prélude — en twist majeur — de la félicité conjugale !

Le père Mougnasse regarda Sylvie avec stupeur, puis Gambier qui riait de bon cœur. Il se gratta le crâne, haussa les épaules, tourna le dos et rentra dans sa cuisine.

— Marrant ! dit Sylvie, ce brave homme ne se doute pas de ce qui l'attend ! On y va, Phil ?

Main dans la main, joyeusement, ils se dirigèrent vers le Club.

7

On devine aisément l'incrédulité, puis la joie de Roméo. Il regardait Sylvie comme si elle eût été le Bon Dieu en personne ! Pour se remettre, il vida d'un trait son Coca-Cola glacé.

— Pincez-moi ! dit-il.

Sylvie, amusée, lui pinça le bout du nez.

— Donc, je ne rêve pas, reprit le jeune garçon. C'est inouï, inimaginable... c'est un miracle ! Vous êtes sûre, vraiment sûre que le gars du Tropic est d'accord ?

— Comme deux et deux font quatre, intervint Gambier. A présent — et c'est le cas de le dire — à vous de jouer. Téléphonez le plus tôt possible à ce M. Soury...

— M. Soury, c'est ça...

Il se gratta vigoureusement le crâne :

— Quelle histoire, bonne mère ! Et la semaine prochaine, vous vous rendez compte ? On ne sera jamais prêt...

— Jamais prêt ?

— Mais oui... les répétitions, tout le truc, quoi !

Visiblement, il était dépassé par les événements. Gambier sourit :

— Inutile de vous affoler, mon vieux. Vous ferez au Tropic ce que vous faites ici, exactement.

— Oui, évidemment, oui...

Brusquement, il se tourna vers Sylvie :

— Et Magali ? elle le sait, Magali ?

Sylvie hocha la tête :

— Non, Roméo. Et il me vient une idée : si on gardait le secret, si on ne disait rien à personne ? Puis, le grand soir venu, mon mari et moi nous inviterons Magali à venir passer une heure au Tropic, comme si de rien n'était. Qu'en pensez-vous ?

Il sourit, hésita :

— O. K. Mais son père ?

— Je m'en charge ! dit Sylvie, mystérieuse. J'ai de bonnes raisons de croire qu'il acceptera...

Roméo était si troublé qu'il porta à ses lèvres son verre vide. Il le reposa sur la table.

— Excusez-moi. Mais je vous jure qu'il y a de quoi perdre un peu la tête !

— Justement, dit Sylvie, il ne faut pas. Tenez votre imagination en laisse, ami Roméo. Vous passez au Tropic, soit, et c'est une chance inespérée, mais cela ne signifie pas que la partie soit gagnée... Avec le « tarif syndical », nous sommes encore loin de la « bonne petite somme » dont vous m'avez parlé... Ensuite, rien ne dit que cet engagement sera suivi d'un ou de plusieurs autres. Donc...

— D'accord. N'empêche que pour moi — et pour les copains.

D'un geste, il désigna les musiciens sur l'estrade.

— ...c'est sensationnel ! Et puis — c'est peut-être bête

— j'ai le sentiment que la chance tourne, que c'est le premier pas... Le coup de pot, quoi ! Je ne sais pas comment je pourrai jamais, madame...

— Ah ! non, protesta Sylvie, surtout pas de remerciements. J'ai horreur de ça. D'ailleurs, c'est le duc de Cherston qui a tout fait, encore qu'il prétende que ce soit son secrétaire et le gérant du Carlton...

Elle rit :

— C'est fou ce qu'on est modeste, mon cher, dans notre monde ! Mais ce n'est pas tout ça. Arrangez-vous au plus vite avec le dénommé Soury, en tâchant de ne pas trop vous faire arranger ! Et, comme convenu, motus et bouche cousue, surtout auprès de Magali...

Il sourit :

— Pas de danger : je ne la vois plus !

— Tant mieux : loin des yeux, loin du cœur !... Ne faites pas cette tête-là, grand bênet. Il est bon de souffrir un peu : ça forme ! Là-dessus, si vous n'y voyez pas d'inconvénient, moi je vais me coucher... Allez donc raconter ça à vos petits copains qui nous regardent avec des yeux exorbités... *Ciao*, Roméo !

Les musiciens, en effet, devinant à l'attitude de Roméo que quelque chose se tramait, les observaient avec curiosité.

— Ils vont sûrement vouloir vous élever une statue, vous savez...

— C'est ça : déguisée en Amour, avec deux petites ailes roses et une guitare en guise de carquois !

Déjà, elle s'en allait, suivie de Gambier. Roméo se précipita vers ses amis.

— Ouf ! soupira Sylvie, quelle journée... Ce brave duc, quand je pense à tout le mal que j'ai dit de lui ! Ne roule pas trop vite, Phil, la nuit est si belle...

Un moment, ils roulèrent en silence. Le moteur faisait son ronron fidèle et régulier. La mer avait, sous la lune, des reflets d'argent liquide.

— Oui, dit Gambier, quelle journée... Le hic, comme

tu le constatais toi-même il y a un instant, c'est qu'il n'y a rien de fait encore. C'est sans doute très joli de passer huit soirées au Tropic, mais en pratique cela ne signifie pas grand-chose !

— C'est à voir...

— C'est tout vu, mon ange ! Car de toute manière ce n'est pas cela qui décidera le père Mougnasse à changer d'avis. Et il aura raison !

— C'est à voir, répéta Sylvie.

Gambier se tourna vers elle.

— Non ! cria-t-elle, regarde devant toi ou je descends ici ! J'ai charge de famille, moi, monsieur, et je ne tiens nullement à mourir jeune ! D'autant plus que ma mission n'est pas terminée...

— Ta mission ?

— Ben oui, quoi ! Je n'ai pas décidé que Roméo jouerait au Tropic. J'ai décidé qu'il épouserait sa Magali...

— Je ne comprends pas. Tu as fait ce que tu as pu. Ce n'est déjà pas mal ! Je ne vois vraiment pas...

— Les hommes, ça ne voit jamais rien ! Regarde devant toi, te dis-je, pour l'amour de Dieu ! Raisonne un instant, Philippe Gambier : il tombe sous le sens que le passage de Roméo *and his boys* sur la scène du Tropic n'a d'utilité que s'il est exploité. C'est la graine qu'on sème : reste à la faire germer !

— Facile à dire ! Comment veux-tu...

— ...que je t'explique, ô futé, si tu m'interromps tout le temps ? Vois-tu, ce qui compte, chez moi, c'est la première idée. Après, les autres suivent toutes seules... En général, les artistes passent au Tropic parce qu'ils sont des vedettes ! Avec Roméo, il faut se débrouiller pour que ce soit exactement le contraire, pour qu'il devienne une vedette parce qu'il a passé au Tropic ! Tu piges ?

— Je pige, mais...

— Ne t'énerve pas, mon chéri. Réponds plutôt à ma question : par quel moyen lance-t-on un produit, une marque, une idée, un artiste ?

— Je ne sais pas. Par la publicité ?

— Bravo ! Elève Gambier, vous avez dix.

— Tu comptes mettre des annonces dans les journaux ?

Elle soupira, leva les yeux au ciel :

— C'était trop beau... Voilà qu'il essaie de faire de l'esprit ! Non, je ne compte pas mettre des annonces dans les journaux : j'ai, dans mon sac à malices, un truc beaucoup plus efficace ! Seulement voilà, il faut que ça marche — et ce sera difficile. Tu voudrais bien savoir quoi, hein, grand amour ? Avoue !

Gambier sourit :

— J'avoue !

— Si je te le dis, qu'est-ce que tu m'offres ?

— Tu n'as pas honte ?

— Pas du tout : qu'est-ce que tu m'offres ?

— Disons... un baiser passionné sur le bout du nez !

— D'accord. Eh bien ! voilà : si tu veux bien te le rappeler, je fus, naguère, une publicitaire non dépourvue d'un certain talent...[2]

— C'est fou ce qu'on est modeste, mon cher, dans notre monde ! répéta Gambier en riant. Toutefois, je me souviens, en effet. Et puis ?

— Et puis, c'est très simple...

Cette fois, Gambier l'écouta sans plus l'interrompre. Au fur et à mesure qu'elle parlait, l'idée prenait forme, se précisait. Génial ! A condition, oui, que ça marche... « Elle est formidable, songeait Gambier, elle pense à tout. Son plan tient magnifiquement. Si ça réussit, c'est le succès... C'est presque trop beau ! »

— ...alors, conclut Sylvie, qu'en dis-tu, esprit logique ?

— J'en dis que c'est remarquablement manigancé... et presque trop beau !

— Ouais... mais qui ne risque rien n'a rien ! D'ailleurs, on ne risque rien, qu'un refus.

— En supposant que les gars soient d'accord, il y a

---

[2] Voir *Sylvie et l'Exposition*.

des chances pour que ça donne. Mais si ça ne donnait pas ? Tu aurais apporté à Roméo et à Magali un prodigieux espoir... qui brusquement s'effondrerait. Ce serait terrible, pour eux. Il est là, le risque, Sylvie. Note que je ne dis pas ça pour te décourager. Ton idée est valable. Mais...

— Oui, dit-elle, je sais, j'y ai songé. Mais la fortune sourit aux audacieux ! Il faut essayer. Sans en parler à Roméo, pour lui éviter une déception éventuelle... Mais ça marchera, Phil ! Je veux que ça marche ! Il faut essayer. Il y a un dieu pour les amoureux. Il faut lui faire confiance. Il faut faire confiance au Bon Dieu...

Elle parlait avec une telle fougue, une telle foi, que Gambier ne douta plus : « ça » marcherait. Emu, attendri, il ralentit, arrêta la voiture au bord de la route.

— Qu'y a-t-il ? demanda Sylvie, surprise.

Il lui prit le menton.

— Il y a que tu es une merveilleuse petite bonne femme... il y a que je t'aime... il y a que j'ai envie de te donner, tout de suite, un petit baiser passionné...

— Sur le bout du... ?

Mais elle n'eut pas le loisir de terminer sa phrase... Ce qui prouve que Gambier visa mal. Ou, ce qui est plus probable, qu'il le fit exprès...

■

Le lendemain matin, Gambier conduisit Sylvie à l'aérodrome. Elle s'envola à bord d'un Boeing d'Air-France.

Quelque trois heures plus tard, elle frappait à la porte du bureau de Martel[1].

— Entrez !

Elle poussa la porte.

Martel leva le nez, ouvrit des yeux ronds puis se les frotta vigoureusement.

— Ciel ! un mirage... Quelle est cette beauté bronzée, dorée, superbe en un mot, qui me fait l'honneur de me visiter en mon humble demeure ?

---

[1] Voir *Sylvie et l'Exposition* et *S. O. S. Sylvie*.

Mais Sylvie était aussi surprise que lui.

— Martel... qu'avez-vous fait de votre barbe ?

Il porta la main à son menton, feignit la plus vive stupeur :

— Ma barbe !... où est ma barbe ? quel est le salaud qui m'a fauché ma barbe ? Que personne ne sorte ! Gardes, fermez les portes, abaissez les herses, levez le pont-levis !

Il se leva, regarda autour de lui d'un air hébété, ouvrit les tiroirs de son bureau, se mit à quatre pattes, en faisant mine de chercher partout.

— Une si belle barbe, gémissait-il, une barbe en vrais poils de Martel ! Une barbe que j'ai mis quinze ans à cultiver, à tailler, à bichonner avec amour... quelle pitié !

Sylvie riait. Décidément, il ne changera jamais, ce Martel... Il est le plus farfelu des hommes. Pour lui, la vie est une plaisanterie quotidienne. Ce qui ne l'empêche pas d'être d'une intelligence aiguë et d'accomplir à la perfection son travail de chef de publicité de la Compagnie Air-Europe. Il se releva, se rassit dans son fauteuil.

— Tant pis, dit-il, je m'en referai une autre, une longue, cette fois, et blanche, comme celle de Saint-Nicolas ! De vous à moi — mais chut !... — je vais tout vous dire : je l'ai rasée ! Elle me tenait trop chaud...

— Ça vous change, dit Sylvie, ça vous rajeunit...

— N'est-ce pas ? Chaque matin, quand je vois dans le miroir mon menton lisse et ma peau de bébé, j'ai envie de prendre mon cartable et de retourner au jardin d'enfants...

Il sourit, regarda Sylvie :

— Dites donc, moricaude, vous êtes bien en beauté... Mais je vous croyais en vacances, ainsi que le commandant — garrrd... à vous ! — votre époux ?

— Je suis en vacances, Martel ! Je ne suis revenue que pour vous voir...

— Je comprends ça. Le cœur vous tirait ! Avouez que

vous ne pouvez pas vous passer de moi ? Je suis fascinant, ma chère, irrésistible, aimanté ! Avec ou sans barbe... Ainsi, à la vérité, si j'ai sacrifié ce symbole pileux de ma séduisante virilité, c'est pour échapper à la houle harcelante de mes admiratrices... Eh bien ! c'est tintin. Elles continuent de me poursuivre, d'entrer ici comme dans un moulin... Vous en êtes une nouvelle preuve !

— C'est pour leur faciliter l'accès de votre bureau que vous avez congédié votre féroce huissier ?

Il leva les bras au ciel :

— Je ne l'ai pas congédié : il est parti tout seul. Comme tout le monde, ce salopard est en vacances. Dans toute la ville, un seul esclave travaille : moi ! Il n'y a plus de justice, vous dis-je... Aussi, savez-vous ce que nous allons faire ? Je vais vous le dire : nous allons fermer la porte, mettre la clef sous le paillasson et aller nous promener au bois tant que le loup n'y est pas ! D'accord ?

— Heu...

— Quoi, heu ? Comme vous voulez, ma petite, mais vous le regretterez !

Il se renversa dans son fauteuil, posa les pieds sur un tiroir entrouvert, entreprit de bourrer sa pipe.

— Je vous écoute, madame, reprit-il d'un ton doctoral. Dites-moi tout et ne craignez rien : je suis lié par le secret professionnel ! Quand avez-vous commencé à éprouver ces troubles ?

— Vous ne serez donc jamais sérieux ? demanda Sylvie, amusée.

— Tudieu, mais je suis sérieux ! Je vous connais : si vous n'êtes revenue que pour me voir, ce n'est pas seulement pour admirer le reflet sauvage de mes beaux yeux bleus... c'est que vous avez besoin de moi. Pan dans le mille ! Et, si vous avez besoin de moi, c'est que quelque chose vous tracasse, vous chiffonne et vous trouble... C.Q.F.D. Juste ou pas juste ?

— Juste !

— Un fin psychologue, le gars Martel, non ? Dès lors, chère madame, au fait... De quoi s'agit-il ? comme disait Floche !

Sylvie, sans se faire prier, lui conta toute l'histoire. Il écouta attentivement en tirant sur sa pipe. De temps à autre, il lissait gravement, d'un air de profonde réflexion, la barbe qu'il n'avait plus.

— Et voilà, conclut Sylvie. Qu'en pensez-vous ?

Il soupira :

— Que voulez-vous que j'en pense ? Magali, Roméo, l'amour, les cigales... ô bonheur ! ô douceur ! Je me sens tout chose, tiens, tout remué... Je crois que je vais me mettre à apprendre la guitare... Oui, Tout cela est bien joli. Mais moi, là-dedans ?

— C'est très simple, mon petit Martel : Roméo passe au Tropic. Il faut que tout le monde le sache. Il faut surtout que les « milieux intéressés », comme on dit, le sachent. Vous me suivez ?

— Pas à pas !

— Bon. Il faut dès lors que vous m'ameniez la télévision au Tropic !

Instantanément, les yeux de Martel se transformèrent en accents circonflexes. Un instant, il demeura bouche bée. Il la referma, la rouvrit avec effort :

— La télé...

— ...vision ! l'aida Sylvie. Vous vous sentez mal, mon petit Martel ?

Il poussa un énorme soupir, leva les yeux au ciel.

— Il y a de quoi ! Sauf le respect que je vous dois, ma douce amie, permettez-moi de vous dire que vous êtes légèrement toc-toc ! La télévision, je vous demande un peu ! Pourquoi pas quelques Martiens, tant que vous y êtes ?

— Parce que les Martiens, à ma connaissance, ne s'intéressent guère au twist...

— Et vous pensez que les gars de la T.V. se soucient de votre Roméo ? Qu'ils vont foncer jusqu'à Nice avec armes et bagages, toutes affaires cessantes, pour filmer son sourire et enregistrer ses vagissements ? Ecoutez-moi bien, créature innocente : la T.V. c'est tabou. Ces types sont tellement sollicités qu'ils font exactement ce que bon leur semble. S'il s'agissait d'une vedette grande comme ça, peut-être, mais nous sommes bien loin du compte... Croyez-moi, il faudra trouver autre chose ! Pourquoi souriez-vous ?

— Parce que vous savez bien qu'il n'y a rien d'autre à trouver, que c'est la solution idéale, et que quand j'ai une idée en tête...

— Je sais. Mais je vous répète que c'est impossible ! Le sourire de Sylvie s'accentua :

— Tst, tst, tst ! Franchement, vous me décevez... Je croyais qu'impossible n'était pas Martel ?

Il la regarda, plissa les paupières, récita :

— Apprenez que tout flatteur vit aux dépens de celui qui l'écoute ! Mais soyons sérieux : vous savez bien que je suis toujours prêt à faire n'importe quoi pour vous aider, mais dans ce cas-ci, hélas !...

— Vous n'avez pas l'un ou l'autre petit copain à *Télé-Monde* ?

— Si, bien sûr. Mais ils m'enverront gentiment au bout du quai !

— Vous, peut-être... mais Air-Europe ?

Il tressaillit :

— Air-Europe ?

— La Compagnie ne fait-elle pas de publicité à *Télé-Monde* ? N'est-elle pas, même, un annonceur important ? Bon. Supposons maintenant — oh ! une simple supposition... — que mon ami Martel, chef de publicité d'Air-Europe, fasse subtilement comprendre à ses petits copains de la T.V. que la Compagnie serait bien capable de réduire son budget si...

Martel, horrifié, leva la main :

— Taisez-vous, petite malheureuse ! Vous n'avez pas honte ! Mais c'est du chantage, ça...

Il se mit à rire :

— Dites donc, cela me rapppelle quelque chose...

— A moi aussi. Une petite opération du même genre, réalisée par un nommé Martel auprès d'un grand méchant journaliste[1]...

Martel hocha la tête :

— Eh bien ! on peut dire que vous avez la mémoire longue, vous ! D'accord, c'était une petite opération du même genre, mais dans un noble but...

— C'est également dans un noble but, Martel ! Le bonheur de deux êtres vaut bien qu'on fasse s'il le faut un peu pression sur les gens. Après tout, qu'est-ce que cela peut faire à *Télé-Monde* ? Ils ont des émissions de variétés : le Tropic ou autre chose, c'est chou vert et vert chou, non ?

Martel ne répondit pas tout de suite. Il réfléchissait. Il tirait sur sa pipe et cela faisait un drôle de petit bruit mouillé.

— Evidemment, reprit-il. Mais je ne peux tout de même pas compromettre la Compagnie...

— Rusé comme vous l'êtes, vous vous débrouillerez bien ! Simple question de nuances...

— Ouais. Et puis, la semaine prochaine... Ils ne pendent pas à un clou, les gars de la T.V. !

— Bah ! en insistant...

De nouveau, il rit :

— Cette fille ne doute de rien ! Ah ! Martel, mon pauvre vieux Martel, dans quel guêpier vas-tu encore te fourrer ?

Les yeux de Sylvie brillèrent :

— Vous acceptez ?

Il haussa les épaules :

— Que voulez-vous que je fasse ? Je voudrais bien vous y voir, vous, aux prises avec Sylvie ! Mais je vous préviens : nous avons neuf chances sur dix de nous faire proprement éjecter...

---

[1] Voir *S. O. S. Sylvie.*

— Pessimiste ! Dites plutôt : nous avons une chance sur dix de réussir... Martel, je vous adore !

Il sourit :

— Ça, je le sais depuis longtemps... Quand j'aurai une soirée libre, je vous téléphonerai ! En attendant, et à propos de téléphone, allons-y...

Il consulta son agenda, décrocha le téléphone, composa son numéro.

— Allo ? *Télé-monde ?* Passez-moi M. Lenoir, je vous prie... de la part de Martel. Martel, oui, comme Charles... Charles Martel, quoi !

— Qui c'est ? souffla Sylvie.

— Un des innombrables directeurs de la boîte... Style très « cher ami, c'était un truc a-do-ra-ble ! chou comme tout ! » Aussi snob qu'intelligent... chut !

Il éleva la voix :

— Lenoir ? Comment vas-tu ? O. K.... bien sûr, on comprend ça ! Dis donc, tu es à ton bureau ? Alors ne bouge pas, j'arrive ! Pardon ? Non, juste cinq minutes. Je te présenterai une amie charmante... Entendu, à tout de suite !

Il raccrocha :

— Et voilà, dit-il. Il n'avait pas l'air tellement emballé à l'idée de me voir, mais l'amie charmante l'a convaincu... Debout, diabolique Sylvie — et *alea jacta est !*

Les bureaux de *Télé-Monde* se trouvaient un peu en dehors de la ville, dans un immeuble ultra-moderne. Un ascenseur rapide et silencieux déposa Sylvie et Martel au septième étage, dans un hall lumineux, peint en vert pâle, et sur lequel ouvraient d'innombrables portes toutes semblables. Cela faisait songer vaguement à un hôpital.

— Non, corrigea Martel, à une clinique psychiatrique ! 3ᵐᵉ porte à gauche... Nous y sommes.

Il frappa à la porte et entra délibérément. Lenoir était un homme jeune, presque un jeune homme. Vêtu d'un costume soyeux aux reflets changeants, de ton havane, il avait l'élégance impeccable et voyante des acteurs de cinéma italiens. Il avait le visage mince et bronzé, surmonté d'une masse de cheveux noirs et ondulés taillés courts. Il s'empressa mollement, avec une sorte de nonchalance étudiée qui déplut souverainement à Sylvie.

— Martel ! je suis positivement ravi, mon petit vieux... Chère madame, permettez-moi de vous présenter mes hommages...

Il s'inclina devant Sylvie, lui baisa la main. Il parlait d'une voix affectée, qui traînait sur les a. Sylvie, qui aimait qu'un homme fût un homme, c'est-à-dire simple, direct et viril, réprima une grimace. Elle faillit lui dire « bonjour, mademoiselle ! » et se retint juste à temps.

— Mais je vous en prie, asseyez-vous ! poursuivait Lenoir. Non, pas sur cette chaise... vous serez tellement mieux dans le fauteuil ! Là, comme ça, parfait ! Martel ne m'avait pas menti : vous êtes charmante... Que puis-je pour vous ?

Il souriait d'un air engageant, mains jointes, la tête un peu penchée sur le côté. Sylvie hésita, regarda Martel. C'était mal connaître Lenoir. Il ne posait pas de questions dans l'attente d'une réponse. Il parlait pour parler, pour le grisant plaisir d'entendre sa propre voix.

— Le soleil ne vous gêne pas ? Vraiment pas ? Je vous envie ! Moi, je ne peux plus le supporter : il me donne d'affreuses migraines. Trop de travail, trop de travail ! Un métier passionnant, mais tuant. Et le comble, c'est que ce métier m'oblige à descendre après-demain sur la Côte pour une quinzaine... Le public ne se rend pas compte, je vous jure. Le public nous dévore, madame, et ne le sait pas !

— Ça tombe bien ! coupa Martel, impassible.

Lenoir, interloqué, perdant le fil de son discours, le regarda sans comprendre.

— Non, reprit Martel, je ne veux pas dire que ça tombe bien que le public te dévore. Je veux dire que ça tombe bien que tu descendes sur la Côte. Tu vas à Nice ?

— Nice, Cannes, Saint-Trop, le Lavandou... Partout,

quoi ! Un reportage fantastique, mon cher, sur les mœurs touristiques actuelles... Et tu me connais : avec moi, ça va faire de la musique !

— C'est le mot ! dit Martel. De la musique de danse, même... Tu connais le Tropic ?

Lenoir eut une moue blasée :

— Qui ne connaît pas le Tropic ? Mais c'est du toc, mon cher ! Laisse-moi te dire que...

— Toc ou pas toc, enchaîna Martel, j'aimerais bien, moi, que tu installes tes caméras au Tropic. Il y a là un petit gars à qui je m'intéresse beaucoup. Ça me ferait terriblement plaisir — et à Mme Gambier aussi — que tu le fasses passer...

Lenoir se redressa, se tapota les doigts avec agacement :

— Tu es gentil, Martel, tu es gentil, mais... Il y a des impératifs, mon vieux. Nous avons un programme affreusement chargé. Je suis désolé, mais j'ai bien peur, vraiment, de ne pas pouvoir...

Sylvie avait une envie folle de lui tirer la langue. De s'en aller en claquant la porte. Ce gringalet prétentieux lui donnait la nausée. Pour se donner la force de résister, elle pensait à Roméo et à Magali...

Lenoir consultait ostensiblement sa montre :

— Je vous demande pardon, mais...

Martel soupira, se leva :

— Je comprends, dit-il. Dommage... Enfin, il y a des impératifs, comme tu dis. J'expliquerai ça au patron...

— Au patron ?

Martel eut un petit rire candide :

— Ben oui... Je ne t'ai pas dit que le petit gars en question était un vague cousin de notre administrateur-délégué ? Il ne va pas être très, très content... Note qu'il ne touchera pas au budget, ça non... enfin, je ne crois pas... D'ailleurs, je te le répète et tu peux compter sur moi : je lui expliquerai. Les impératifs, un programme chargé, tout ça... Il me reste à te souhaiter bon voyage, mon vieux...

Sylvie, admirative, regardait Martel. Quel comédien !

Pis qu'une femme ! Exactement l'air bon enfant, un peu
bêbête, qui convenait...

Lenoir, quant à lui, avait brusquement changé d'attitude. Il fronçait les sourcils, hésitait, se demandait visiblement si Martel le faisait marcher ou si, réellement...
Il opta pour la politique du moindre risque.

— Mais où vas-tu ? Pour une fois qu'on a l'occasion de
pouvoir un peu bavarder ensemble... Il me vient une
idée : on va déjeuner ensemble ! Si, si, j'y tiens ! Je
connais un petit restaurant... une merveille ! Je suis sûr,
chère madame, que...

Sylvie n'osait pas regarder Martel. Et Martel, l'air bon
enfant, un peu bêbête, souriait avec application.

8

Sylvie avait chaud. Elle avait l'impression de se liquéfier. Elle ne savait pas si c'était agréable ou désagréable. En ouvrant prudemment les yeux, elle apercevait l'aile blanche des petits voiliers qui se poursuivaient sur la mer. Mais l'eau avait des reflets si aveuglants que Sylvie, en dépit de ses lunettes solaires, refermait bientôt les yeux. Elle soupira, se mit sur le ventre :

— Phil, sois gentil, mets-moi de l'huile...

Silence. Elle éleva la voix :

— Tu dors, Phil ?

Silence. Etonnée, elle se souleva sur un coude et constata que Gambier avait disparu. Elle sourit. Il avait évidemment renoncé à mijoter dans cette fournaise. Lui, son rêve eût été de brunir sans devoir s'exposer au soleil.

« Je parie qu'il est allé dormir dans la chambre, pensa Sylvie, à moins qu'il n'ait décidé de faire une petite promenade jusqu'au village... Au fond, je le comprends : pour un homme, rester comme un caillou sur le sable, pendant des heures, c'est assommant... En attendant, il va falloir que je me débrouille toute seule... » Elle dévissa le capuchon de la bouteille et entreprit de s'enduire copieusement d'huile. Devant, ça va tout seul. C'est pour le dos que ça devient compliqué. Tout occupée à se contorsionner, Sylvie n'entendit pas venir Magali.

— Je puis vous aider, madame ?

Sylvie tressaillit :

— Houtch ! vous m'avez fait peur, Magali ! Oui, vous pouvez m'aider. Les singes, qui ont de si longs bras, ne connaissent pas leur bonheur ! On devrait...

Elle vit le visage de la jeune fille, fronça les sourcils :

— Dites donc, ma petite Magali, savez-vous que vous avez une mine de papier mâché ? Ce n'est pas sérieux !

Magali eut un faible sourire :

— Quelle importance ? Vous me passez le flacon ?

Elle se mit à huiler le dos de Sylvie. Puis brusquement, elle dit :

— C'est fini, Roméo... Roméo et moi.

Sylvie sursauta :

— Quoi ?

Elle se retourna. Magali souriait toujours, et elle avait les yeux emplis de larmes.

— Vous êtes folle, mon petit, dit Sylvie.

— Non. Il n'est plus venu...

— Venu où ?

La jeune fille hésita.

— On se voyait tous les soirs, dit-elle. Tout près du garage Simca, sur la route de Draguignan... J'y suis allée hier, et avant-hier... il n'est pas venu... J'ai téléphoné au Club. Pierrot, un de ses copains, m'a dit que Roméo préférait ne pas me voir...

— ...c'est fini ! répéta-t-elle.

Alors, sur ses joues, les larmes coulèrent, rondes, comme une pluie. Elle était sans colère, sans orgueil. Elle pleurait sous le soleil, en silence, et elle respirait difficilement. Sylvie, émue, lui prit la main. « Une petite fille, songea-t-elle. Elle possède le plus merveilleux trésor du monde et elle ne le sait pas. Tout de suite elle doute, elle souffre... Alors qu'en secret le miracle se prépare ! »

— Magali, dit doucement Sylvie, n'avez-vous pas promis de ne plus vous voir ?

— Si, mais...

Comme une petite fille, oui, elle renifla. Comme une petite fille, elle haussa les épaules.

— Si, mais moi je ne pouvais plus tenir, parce que je l'aime, moi !

« Parce que je l'aime, moi ! » Un cri qui jaillissait du plus profond de son être, un cri d'amour et de douleur... Elle fixait sur Sylvie son regard mouillé. A deux mains, dans un geste inconscient, elle comprimait les battements de son cœur.

— Magali, dit Sylvie, au fond de vous-même, tout au fond, croyez-vous qu'il ne vous aime plus ?

La jeune fille baissa les yeux. Puis elle hocha la tête.

— Non, fit-elle d'une voix sourde, non, je ne puis le croire... Il me semble que c'est impossible. Roméo et moi, c'est... C'est comme deux doigts d'une même main. Vous comprenez ?

— Oui, Magali.

— Mais alors pourquoi, pourquoi ?

— Parce qu'il a promis, qu'il est un homme, qu'il tient sa promesse. Parce que c'est une grande preuve d'amour qu'ainsi il vous donne. D'ailleurs, vous le savez bien, mais vous avez peur de vous tromper... N'ayez crainte, Magali !

Une soudaine lueur de joie illumina les yeux de la jeune fille. C'était vrai : inconsciemment, elle était venue chercher auprès de Sylvie la confirmation de son plus secret espoir ; et elle n'avait choisi la détresse que par une sorte de prudence psychologique, dans la crainte d'une désillusion qu'elle n'eût pu supporter. D'un mot, Sylvie avait libéré l'inquiète certitude, et chassé la détresse.

— Vous êtes bonne, dit Magali.

Déjà, elle riait. Déjà, sa triomphante jeunesse éclairait de nouveau son visage. Sylvie sourit :

— Mais non. Simplement, de l'extérieur, on voit plus lucidement les choses... A propos, cette huile ?

Magali se remit à lui frictionner le dos avec entrain.

— N'empêche, dit-elle, c'est terrible de ne plus se voir. Si ça doit encore durer des mois, je vais sûrement devenir folle ! Vous croyez que...

— Que quoi ?

— Eh bien ! que ça va encore durer longtemps ?

Au ton de sa voix, à un imperceptible frémissement, Sylvie devina qu'elle soupçonnait quelque chose... Et pourtant il était impossible qu'elle eût recueilli la moindre information. Elle n'avait pas revu Roméo. Ni Sylvie ni Gambier n'avaient prononcé un seul mot qui eût pu les trahir. Alors ? C'est le grand mystère de la sensibilité féminine. Le fameux sixième sens ! Comme si des ondes invisibles se répandaient dans l'air, allaient alerter dans l'âme des femmes un signal secret... Sylvie connaissait bien cela ! Elle ne put s'empêcher de sourire :

— Que voulez-vous que je vous réponde, Magali ? Mon mari dit de moi que je suis un peu sorcière... Peut-être l'êtes-vous un peu aussi ? Fiez-vous à votre instinct, ma fille — et attendez !

— Oui. Mais ce n'est pas mon instinct qui convaincra mon père !

— Non, mais qui sait si...

Sylvie, brusquement, se tut. « Holà ! songea-t-elle, mais cette gamine, ma parole, va positivement me tirer les vers du nez ! Voyez-vous ça, la petite futée... C'est une vraie femme, celle-là ! »

— Qui sait si ? demanda Magali.

Sylvie se mit à rire :

— Qui sait si rien du tout ! Savez-vous que la curiosité est un très vilain défaut ? Ma petite Magali, cessez
de me casser les pieds avec vos problèmes sentimentaux
et familiaux. Primo, je n'ai rien à voir là-dedans ; et secundo je suis en vacances. D'accord ?

Elle riait. Magali riait aussi. Elles s'étaient com-
prises...

— D'accord ! dit la jeune fille.

D'un bond souple, elle se redressa ; s'étira comme une
jeune chatte. Puis elle fit prestement glisser sa robe et
apparut moulée dans un ravissant maillot de couleur tur-
quoise :

— On nage ? proposa-t-elle.

— On nage ! approuva Sylvie.

Main dans la main, toutes deux pareillement jolies,
légères et joyeuses, elles coururent vers la mer.

■

Un gars qui ne vivait plus, c'était Roméo... Tiraillé
entre une joie frénétique et un trac effroyable, il en per-
dait la voix ! Il répétait à longueur de journées, au Club,
dans une chaleur suffocante. Sylvie et Gambier allèrent
le surprendre durant une de ces répétitions. Le soleil
chauffait férocement. Le Club était désert. Installés sur
l'estrade, à l'abri très relatif d'une banne à rayures rouges et blanches, les musiciens hébétés jouaient dans une
sorte d'hypnose. Roméo grattait sa guitare devant le micro débranché. Apercevant Sylvie et Gambier, il leva la
main et l'orchestre se tut. Les cinq garçons étaient torse
nu. Ils ruisselaient de sueur.

— Mais vous êtes fous, mes enfants ! protesta Sylvie,
vous serez morts d'épuisement avant même d'avoir fran-
chi la porte du Tropic !

Un des garçons — un petit noiraud aux cheveux crépus, qui ressemblait à un Gitan —, souffla dans ses
joues :

— A qui le dites-vous, madame ! Mais c'est lui — il
désigna Roméo —, pas moyen de l'arrêter !

— Juste ! renchérirent les autres, nous, on n'en peut plus... On est au point, maintenant. On en a marre, Roméo !

Roméo bondit :

— Au point ? On en n'est nulle part, plutôt... Vous vous rendez compte qu'on est vendredi, qu'on commence lundi ? Ça va être du joli ! Vous savez quoi ? On ferait mieux de tout laisser tomber...

— D'accord ! approuva Sylvie. On laisse tout tomber... jusqu'à dimanche soir. Alors, répétition générale. Mais d'ici là, repos ! Qui est pour ?

Les quatre musiciens, avec un ensemble parfait, levèrent la main. Roméo haussa les épaules.

— Comme vous voudrez, dit-il ; après tout, j'en ai marre aussi ! Rendez-vous ici dimanche soir à six heures. Salut !

Les garçons ne se le firent pas répéter. Ils saluèrent Sylvie et Gambier, allèrent ranger leurs instruments et disparurent. Roméo sourit :

— Les pauvres ! dit-il, c'est vrai qu'ils sont vidés... Je puis vous offrir un Coca ?

— Bonne idée ! applaudit Gambier. Toutefois, jeune homme, c'est moi qui offre... J'ai quelques années d'avance sur vous ! Au reste, quand vous serez célèbre, vous payerez le champagne...

Ils allèrent s'asseoir à l'ombre. Roméo avait les joues creusées, les yeux brillants. Visiblement, il était épuisé.

— Tout est O. K. avec M. Soury ? demanda Gambier.

— Oui. On passe à minuit. Une demi-heure de musique de danse, et je chante trois chansons...

— Le trac ?

Il n'essaya pas de donner le change.

— Oui, terrible ! Je sais bien que c'est idiot. Après tout, même si c'est un four, on n'en mourra pas... N'empêche : j'ai une peur bleue !

Il se tourna vers Sylvie :

— Vous n'avez rien dit à Magali ?

— Pas un mot.

— Elle a téléphoné au Club, l'autre soir...

— Je sais. Je sais aussi que vous avez tenu parole. C'est bien, Roméo.

— Pas tellement... Au fond, c'est un peu par superstition. Il me semble que si je ne joue pas le jeu à fond, honnêtement, le Bon Dieu me punira... Vous comprenez ?

Sylvie sourit :

— Je comprends. Ne pensez plus à tout cela. Allez vous promener, tâchez de dormir... Et lundi, ça ira tout seul.

— Le Ciel vous entende ! Vous serez là, lundi ?

— Bien sûr !

— Magali aussi ?

— Peut-être, on verra...

— Et son père ?

Sylvie se mit à rire :

— C'est fou ce qu'ils sont curieux, les jeunes d'aujourd'hui ! Comment voulez-vous que je sache tout cela, Roméo ? N'y pensez plus, vous dis-je...

Il soupira bruyamment :

— Facile à dire ! C'est tout de même terriblement important...

— Vous venez de dire vous-même que, même si c'est un four, vous n'en mourrez pas...

Il regarda Sylvie :

— J'ai dit ça, oui... Mais je sais que c'est ma seule chance, peut-être, de pouvoir épouser Magali... Je me fiche bien de devenir une vedette !

Il avait l'air, brusquement, d'un petit garçon angoissé. Il passa la main dans ses cheveux.

— Magali... dit-il pour lui seul, avec ferveur.

Sylvie, émue, regarda Gambier. Il y eut un petit silence.

— Ne nous emballons pas, dit Gambier. Désolé de vous le répéter, mon vieux, mais passer au Tropic ne suffit pas...

— Phil, protesta Sylvie, ne le décourage pas !

— Il ne s'agit pas de le décourager. Un homme doit savoir regarder les choses en face. N'est-ce pas, Roméo ?

Il assena sur l'épaule du garçon une grande claque amicale :

— Ayez quand même confiance, heureux mortel ! Une bonne fée que je connais se penche sur votre destin... et mon petit doigt me dit que votre destin est en bonnes mains !

— Phil, protesta de nouveau Sylvie, tu vas lui donner des illusions !

Gambier haussa les épaules :

— Mon cher Roméo, vous voyez comment sont les femmes ? Elle me reproche de vous décourager et, dix secondes plus tard, de trop vous encourager ! Voulez-vous un conseil, un bon conseil désintéressé, d'ami ? Restez célibataire !

Il vida son verre, se leva :

— Bien entendu, sourit-il, c'est un conseil à ne pas suivre ! Viens, femme de ma vie, on va dîner... L'amour, c'est bien joli, mais ça ne vaut tout de même pas le coq au vin du père Mougnasse !

Il s'en alla, suivi de Sylvie. Roméo, rêveur, les regarda s'éloigner. « Votre destin est en bonnes mains... » Le commandant Gambier avait-il dit cela sans raison, pour dire quelque chose, ou bien ?... Roméo pensa qu'il aimerait être dans son lit. Et dormir, dormir, dormir jusqu'à lundi... Puis il pensa à Magali et, dans son cœur, l'espoir chanta.

■

— Vous direz ce que vous voudrez, grogna le père Mougnase, mais ce n'est pas une vie !

Il avait laissé son bonnet blanc de cuisinier, son grand tablier qui lui tombait jusqu'aux pieds. Son visage rougeaud luisait de sueur. Il était comique, ainsi, et on ne parvenait jamais à prendre au sérieux sa mauvaise humeur.

— Vous vous rendez compte, reprit-il avec son incroyable accent, voilà seulement que j'ai fini de travailler, à dix heures du soir ! Et tout cela à cause de ces Englishes qui se mettent à table à des heures impossibles... Vous permettez ?

Il s'assit, soupira, ôta son bonnet. Dans la pénombre, son crâne brillait, littéralement, comme une bille d'ivoire.

— Il y a une solution, dit Gambier en riant, c'est de placer un écriteau *Hôtel interdit aux Anglais* devant la porte !

— Il y en a une autre, proposa tout de go Sylvie, c'est de trouver un gentil petit gendre qui aidera beau-papa !

Le père Mougnasse sursauta, regarda Sylvie avec inquiétude.

— Hé ! gémit-il, ne remuez pas le gendre dans la plaie, vous ! Ah, si cette Magali avait un peu de cervelle...

Sylvie sourit :

— Ou si Roméo se mettait à apprendre le métier ?...

Le bonhomme hocha la tête avec mélancolie :

— Voui, voui... Mais ça fait beaucoup de si, tout ça, non ? Si ma grand-mère avait des roulettes, ce serait une bicyclette ! Et puis j'aime mieux de ne plus y penser... Tenez, ce soir, je vous offre la tournée du patron. Un petit rosé de Provence dont vous me direz des nouvelles...

Il se levait avec effort, se dirigeait vers l'hôtel.

— Marrant, dit Sylvie, s'il se doutait de ce qui l'attend ! Le hic, ça va être de l'amener lundi au Tropic... Brrr ! je commence moi aussi à avoir le trac, Phil ! Tu crois que Lenoir tiendra parole ?

— Aucune idée. Mais pourquoi pas ? Que t'a dit Martel au téléphone ?

— Que Lenoir lui avait formellement promis d'être là lundi.

— Que veux-tu de plus, mon ange ? Et ton duc, il viendra ?

— Oui. Avec toute une bande, qu'il a dit... Chut, voilà l'ennemi !

L'ennemi, une bouteille sous chaque bras et les mains chargées de verres, ventre en avant, revenait à petits pas, suivi de sa femme.

— J'ai aussi invité la patronne, dit-il, si ça ne vous gêne pas ? C'est curieux mais avec vous deux, j'en prends tout naturellement à mon aise. C'est un peu comme si vous étiez de la famille !

— Je lui ai dit, s'excusa sa femme, que sûrement ces messieurs-dames préféraient rester seuls mais...

— Mais rien du tout l'interrompit Sylvie. Car nous aussi — n'est-ce pas, Phil ? — on se sent un peu de la famille ! Asseyez-vous, madame Mougnasse. Et ouvrez les bouteilles, patron, qu'on le goûte...

Elle prit l'accent du Midi :

— ...ce petit rosé de Provence !

— C'est qu'elle l'a, l'ass'eng, la gredine ! apprécia le père Mougnasse en s'armant du tire-bouchon. Vous allez voir si c'est bon...

Il avait retrouvé sa gaieté et son intarissable faconde. Ses petits yeux vifs pétillaient de malice. Il fit couler le vin dans les verres.

La nuit était extraordinairement douce. Il n'y avait pas un souffle de vent. L'air était chaud et parfumé. Les cigales inlassables faisaient leur bruit. Dans le ciel frémissaient des millions d'étoiles. Là-bas, la mer immobile avait des reflets mauves.

— A votre bonne santé, les enfants !

— A la vôtre, père Mougnasse !

Un exquis petit vin, oui, frais et vif, qui vous tapissait de velours le palais. Le père Mougnasse parlait, parlait, parlait... Il racontait sa jeunesse, sa vie, ses aventures lors du service militaire. Puis, sans transition, il se plaignait du gouvernement, du mistral, des impôts... Il se réjouissait, s'indignait, clignait de l'œil, brandissait un index véhément... Sylvie et Gambier approuvaient, écoutaient en souriant cet étourdissant monologue qu'on eût dit extrait des *Lettres de mon Moulin,* tout parfumé d'ail et saupoudré de soleil. De temps à autre, Mme Mougnasse protestait faiblement :

— Tu fatigues ces messieurs-dames, papa...

Le bonhomme s'interrompait deux secondes :

— Je vous fatigue ? Il faut le dire, si je vous fatigue, hé ? Encore un petit coup, d'accord ?

Il remplissait les verres, reprenait :

— C'est comme le maire... Bonne mère, c'est un drôle de maire que le Bon Dieu nous a envoyé ! Faut vous dire qu'il est aussi président de la Boule Intrépide et que...

— Président de quoi, père Mougnasse ?

— De la Boule Intrépide... bien sûr, vous ne connaissez pas : c'est le nom de notre société de pétanque. Donc, le maire, disais-je...

Il était reparti. Il était de plus en plus rouge et ses yeux brillaient de plus en plus. Sylvie flottait dans une délicieuse euphorie. « Hé voui, il est coquin'ng, ce petit vin'ng !... » Elle fermait à demi les yeux et elle avait l'impression que les étoiles se donnaient la main et se mettaient à danser follement la farandole, au son des fifres et des tambourins... Elle se sentait divinement bien. Elle fût volontiers demeurée là, sur la terrasse, jusqu'à la fin des temps, à respirer le bonheur de vivre en écoutant parler, parler, parler le père Mougnasse... Ce fut lui pourtant qui la ramena brusquement sur terre.

— Té ! cria-t-il soudain, voilà la Magali... Magali, ma fille, viens par ici, dire le bonsoir !

La jeune fille s'approcha :

— Impossible de dormir, dit-elle, par cette chaleur.

— Alors tu vas boire avec nous ! ordonna son père. Et ne fais pas ta tête de mule, hé ! Ce soir, on fait la paix, tous les deux !

Magali hésita, regarda Sylvie, s'assit. « Le père, la mère et la fille, pensa Sylvie, c'est le moment d'agir ! ».

Elle avait retrouvé toute sa lucidité, guettait l'occasion propice. Ce fut Mme Mougnasse qui la lui donna :

— La paix, dit-elle, ça fait longtemps que vous devriez la faire... On était bien heureux, tous les trois, avant... avant tout ça ...

— Est-ce ma faute, riposta tout de suite Magali, si...

D'un regard, Sylvie l'interrompit.

— Juste ! dit-elle, il y a déjà assez de tristesse dans le monde sans qu'il faille encore se disputer en famille...

Elle rit, leva son verre :

— Je bois à la grande réconciliation de la tribu Mougnasse... et pour fêter l'événement, mon mari et moi nous vous invitons tous les trois, lundi soir, au Tropic !

De saisissement, le père Mougnasse faillit s'étrangler dans son verre. Il se mit à tousser comme un malheureux, tandis que Gambier lui assenait de grandes claques dans le dos. Magali, surprise, regardait Sylvie en fronçant légèrement les sourcils. Quant à Mme Mougnasse, elle hochait la tête d'un air incrédule, en souriant, comme à l'énoncé d'une bonne plaisanterie.

— Au Tropic ? dit Magali, à Nice ? Oh ! chic, alors... Il paraît que c'est formidable — Rom... heu... on m'a dit qu'il y a deux pistes de danse et que...

— Doucement, doucement, ma cocotte ! intervint son père. Tu me vois, moi, au Tropic ? Mme Gambier, elle est bien gentille, mais...

Pendant une demi-heure, Sylvie s'employa à convaincre les parents Mougnasse. Au fond, ils avaient tous les deux terriblement envie d'accepter, mais ils n'osaient pas. Pour eux, le Tropic était un endroit féerique peuplé uniquement de gens riches, snobs et élégants.

— Je n'ai même pas de toilette ! disait mollement Mme Mougnasse.

Sylvie haussait les épaules :

— Allons donc ! qu'allez-vous imaginer ? De nos jours, on ne s'habille plus... D'ailleurs, vous aviez dimanche une très jolie robe bleue qui fera parfaitement l'affaire...

— Et qui s'occupera de l'hôtel ? s'inquiétait sans grande conviction le père Mougnasse.

— Tiens, mais le personnel ! On ne partira que vers les neuf heures... Pour un soir, il ne va pas s'écrouler, votre hôtel !

Gambier mit tout le monde d'accord :

— Si vous refusez, énonça-t-il d'un air sévère, je vous préviens que je prendrai cela pour un affront personnel, et que je ne vous le pardonnerai pas !

Sylvie admira ses talents de comédien et, pour dissimuler son sourire, piqua du nez dans son verre.

— Dans ce cas... dit le père Mougnasse en regardant sa femme. Qu'en penses-tu, toi, la patronne, hé ? On ne peut tout de même pas leur faire affront, à ces braves gens...

C'est ainsi que Sylvie mit dans sa poche, avec la complicité du petit rosé de Provence, les parents Mougnasse. A présent, tous les pions étaient en place et la partie pouvait commencer. « Pourvu, pensait Sylvie, que rien ne rate ! Pourvu que Lenoir tienne parole, que Roméo ne couaque pas, que ma petite machination porte ses fruits... » Tout, jusqu'ici, s'arrangeait si bien que c'en était presque inquiétant ! Sylvie avait de plus en plus le trac, comme si son propre destin en dépendait.

— Oh ! Phil, quelle histoire... Je me sens nerveuse, nerveuse !

Gambier souriait avec flegme :

— Parce qu'il arrive que tu ne sois pas nerveuse ?

— Moi ? mais je suis calme, de nature !

Le plus drôle, c'est qu'elle le croyait fermement. Gambier se mettait à rire :

— Oui, à la manière d'une pile électrique. Je parie que si on te mettait une lampe dans la bouche, elle s'allumerait ! Remarque que ce n'est pas le moment : il est passé minuit et je tombe de sommeil... Vivement le bureau, que je puisse enfin me reposer de ces vacances !

Il se dévêtait, se couchait, fermait les yeux :

— Bonne nuit, ô ma sérénité !

— Bonne nuit, Phil...

Mais comment dormir ? Pourvu que... pourvu que... pourvu que... Et puis zut, à quoi sert-il de se poser des questions ? Les dés sont jetés et il ne reste plus qu'à attendre. Donc, je dors. Pauvre Roméo, il doit être plus mort que vif ! Je comprends ça. Moi, quand j'ai joué cette pièce, avec Popov, j'ai failli tourner de l'œil avant d'entrer en scène[1] ! Et encore, c'était beaucoup moins important : mon amour n'en dépendait pas. A propos d'amour, je parie tout ce qu'on veut que le mien dort déjà du sommeil du juste... Tu dors, Phil ?... Phil, tu dors ?... Quand je vous le disais ! Quel homme, cet homme ! Réglé comme du papier à musique... Et Magali qui ne se doute de rien. Mais ne se doute-t-elle de rien ? A la façon dont elle me regarde, j'ai vaguement l'impression qu'elle flaire quelque chose, sans savoir quoi... On dira ce qu'on voudra, mais nous, les femmes, nous avons tout de même un extraordinaire instinct. Parfois, c'est presque effrayant... Il a été chic, l'ami Martel. Mais je trouve qu'il a eu tort de raser sa barbe, ça lui donnait une personnalité, un type. Evidemment, cette barbe, ce n'est pas mes oignons ! Je voudrais bien dormir. Un mouton, deux moutons, trois, quatre, cinq, six, sept, huit, neuf, dix... Remarquez que je n'y crois pas beaucoup, à ce truc. Une fois, j'ai compté mille deux cents moutons et je devenais folle de rage dans mon lit ! Onze moutons, douze, treize, quatorze...

Elle sombra d'un coup dans le sommeil, grâce, une fois encore, à la complicité berceuse du petit rosé de Provence...

■

Samedi, dimanche, lundi... Ces trois jours parurent

---

[1] Voir *Sylvie brûle les planches.*

interminables à Sylvie. Elle vivait dans l'inquiétude d'une mauvaise nouvelle, d'un coup de téléphone annonçant que « quelque chose n'allait plus... »

Mais rien ne se passa. Le soleil continuait de chauffer, les cigales de chanter et les gens d'aller et venir comme si de rien n'était.

— On va se promener ? proposait Gambier.

— Si tu veux, Phil...

— Tu ne préfères pas te baigner ?

— Si tu veux, Phil...

Elle répondait distraitement, évasivement, toute à son idée fixe ; et il finit par se fâcher pour de bon, rappelant à Sylvie qu'il existait, qu'elle était sa femme et qu'elle avait à se soucier de lui.

— Que tu t'efforces de faire le bonheur des gens, d'accord, mais ce n'est pas une raison pour oublier le nôtre... On n'a que quelques jours par an pour être pleinement ensemble et tu vas trouver le moyen de les gâcher ! Si c'est comme ça, parole, l'an prochain je pars en vacances tout seul !

— Mais, mon chéri...

Surprise, elle le regarda. Il avait l'air, à la fois, furieux et malheureux. L'air d'un petit garçon privé injustement de son jouet. Emue, amusée, elle alla se nicher contre lui.

— Tu es fou, grand fou ! Mais tu as raison, et je te demande pardon... Viens, on va se baigner !

Elle résolut de ne plus songer à rien, qu'à sa joie d'être en vacances avec Gambier. Elle fit mentalement un gros paquet bien ficelé avec Roméo, Magali, le père Mougnasse, Lenoir et *tutti quanti* ; rangea le paquet sur une étagère, dans un coin de son esprit, et se jura de l'oublier jusqu'à lundi soir. Elle y réussit parfaitement. Elle renonça même à assister, le dimanche, à la dernière répétition de l'orchestre. Cela n'eût servi à rien, qu'à énerver davantage tout le monde. Simplement téléphonat-elle au Tropic pour réserver une table. Après quoi, elle alla avec Gambier à Saint-Raphaël acheter des cadeaux pour les jumeaux et pour Alphonse.

Elle était très gaie. Avec son pantalon vert pâle, sa marinière blanche et son chapeau comique, en paille noire, elle ressemblait à une gamine.

— Pas possible, dit Gambier, on va te prendre pour ma fille !

Il était séduit, flatté, amoureux... Dans le premier magasin qu'ils visitèrent, et où il y avait un monde fou, la vendeuse s'adressa à Sylvie en l'appelant mademoiselle.

— Oncle Philippe, dit Sylvie à haute et intelligible voix, tu me paies ce joli collier de coquillages ?

Oncle Philippe ? Gambier, suffoqué, indigné, eut un haut-le-corps. Il ouvrit la bouche, ne trouva rien à répondre, paya sans broncher sous l'œil attendri de la vendeuse... Sylvie, l'air candide, souriait aux anges.

9

Il y avait foule, déjà, au Tropic. Le
hall était recouvert d'un épais tapis rouge ; les murs
étaient revêtus jusqu'au plafond de hautes glaces qui
répétaient à l'infini trois lustres énormes, en cristal. Le
père Mougnasse, impressionné, ne soufflait mot. Sa femme ne lâchait pas le bras de Sylvie. Quant à Magali,
vêtue d'une robe blanche très simple qui mettait en
valeur sa peau bronzée, elle était ravissante. Le maître
d'hôtel les conduisit à leur table. La salle était immense,
ronde, à demi noyée dans la pénombre. Un orchestre
invisible jouait une musique douce et sur la piste les
danseurs demeuraient presque immobiles. Ils s'assirent.
Un garçon en veste blanche s'approcha de Gambier, lui
parla à l'oreille et, sur un signe affirmatif de sa part,

déboucha la bouteille de champagne qui déjà attendait sur la table, dans un seau à glace en argent. Le père Mougnasse ouvrait des yeux ronds. De sa vie, jamais il n'avait mis les pieds dans un endroit aussi élégant. Manifestement, il n'en revenait pas, se demandait s'il rêvait. Il regarda Sylvie, souffla dans ses joues :

— Bonne mère ! il y en a pour des millions, ici !

Elle sourit :

— Ne vous frappez pas, c'est du toc ! Rien ne ressemble plus à une boîte de nuit qu'une autre boîte de nuit... Un décor de pacotille, rien de plus.

Mal convaincu, il hocha la tête. Il devait penser qu'à côté de cette pacotille-là, son gentil petit hôtel ressemblait à un bouge !

— Phil, dit Sylvie pour créer l'ambiance, si tu faisais danser Magali ?

La proposition n'était pas désagréable et Gambier s'empressa d'obéir. Magali dansait comme elle faisait tout : avec cette grâce instinctive et naturelle des femmes qui partout sont reines, sans en tirer nulle vanité ni même en avoir conscience.

— Heureuse ? demanda Gambier.

— Eblouie, en tout cas ! c'est exactement comme au cinéma... J'ai l'impression que ce n'est pas vraiment vrai ! Quel luxe !

Une ombre passa dans ses yeux :

— Si Roméo voyait ça ! Je comprends maintenant qu'il faut être une très grande vedette, pour venir ici...

Gambier sourit :

— Qui sait, Magali ?

— Qui sait ? répéta-t-elle. Mais vous savez, les miracles, je n'y crois pas beaucoup...

Pendant ce temps-là, les parents Mougnasse continuaient d'aller d'émerveillement en émerveillement. Tout leur était sujet d'admiration: la beauté des femmes, la splendeur des robes, la morgue dédaigneuse du maître d'hôtel, le velours grenat des chaises et l'habileté de prestidigitateur avec laquelle le barman — un métis gigantesque, coiffé d'un fez rouge — préparait les cocktails ! Sylvie, amusée, répondait à leurs questions en consultant sa montre. « Dix heures cinquante... Pas plus de télévision que de poils sur un caillou : si Lenoir s'est payé ma tête, je lui tords le cou ! Roméo passe à minuit, on a le temps. N'empêche que je ne suis pas tranquille. Qui c'est, ce type qui gesticule en regardant vers moi ? Oh ! mais c'est le duc ! » Elle agita joyeusement le bras.

— Le duc de Cherston, expliqua-t-elle. Un vieil ami...

Le duc se levait, venait à elle. Il était vêtu d'un smoking blanc éblouissant. Il se pencha, baisa la main de Sylvie.

— Comment faites-vous pour être plus jolie chaque fois que je vous vois ? Il est en forme, votre gratteur de...

— Atchoum ! cria Sylvie.

Dans le même temps, elle mit sa main sur la bouche du duc en roulant des yeux effarés. Il comprit et se mit à rire :

— Toujours ce vieux rhume des foins, n'est-ce pas ? Je ne connais qu'un remède : la danse. Si vous me permettez ?

Ils se dirigèrent vers la piste, après que le duc se fut courtoisement incliné devant le père et la mère Mougnasse complètement dépassés par les événements.

— Le duc de Cherston ! gémit le père Mougnasse, tu te rends compte, maman ?

— Qui c'est, papa ?

Le bonhomme leva les yeux au ciel.

— Qui c'est ! elle me demande qui c'est ! Tu ne lis pas les journaux, malheureuse ? Le duc de Cherston, c'est quelque chose comme l'Aga Khan, presque un prince, presque un roi, quoi !

Là-dessus, pour se remettre, il vida d'un coup sa coupe de champagne, tandis que sa femme, médusée, joignait machinalement les mains. Mais ce qui, littéralement, les assomma, ce fut, la danse finie, de voir revenir Magali, rieuse, au bras du duc...

— J'espère que vous ne m'en voudrez pas, madame

s'excusa le duc. Nous avons sur la piste échangé nos partenaires. J'ai cru ainsi faire œuvre de charité en ne séparant pas davantage Mme Gambier de son mari... J'avoue aussi que cette solution m'a ravi : vous avez une fille délicieuse et je vous en fais mon compliment...

Le père Mougnasse, affolé, n'entendant rien à ce discours, se demandait avec angoisse s'il devait se mettre au garde-à-vous ! Sa femme émit un bref hoquet qui, à la rigueur, pouvait passer pour un petit rire satisfait. Quand ils retrouvèrent leurs esprits, le duc était depuis longtemps retourné s'asseoir à sa table.

— Tu as vraiment dansé avec lui ? demanda le père Mougnasse.

Magali haussa les épaules avec insouciance :

— Sûr ! Et alors ? c'est un homme comme un autre, non ? Il est d'ailleurs très simple et très gentil... Tu sais qu'il est déjà venu chez nous ?

— Chez nous ? Tu te moques, Magali ?

— Non, expliqua Sylvie en riant. Vous vous souvenez de ce visiteur qui est venu un soir, qui faisait tant de bruit avec sa voiture ? C'était lui !

— Même que ça n'a pas eu l'air de vous plaire beaucoup ! renchérit Gambier.

Accablé à l'idée que le célèbre duc de Cherston était venu à l'hôtel sans qu'il le sût, atterré rétrospectivement à la pensée qu'il avait failli presque le mettre à la porte, le père Mougnasse ferma les yeux. Quand il les rouvrit, la salle était plongée dans l'obscurité. Puis les projecteurs brusquement illuminèrent la piste, découvrant un couple de danseurs espagnols. Aussitôt l'orchestre attaqua un paso doble et les castagnettes entrèrent en action. Après les danseurs espagnols, il y eut un jongleur, puis un remarquable numéro de chiens savants, puis un chansonnier dit montmartois dont les plaisanteries assez lourdes ne firent sourire personne, puis enfin un ballet moderne exécuté par une troupe de girls anglaises fort jolies que le père Mougnasse admira avec une visible satisfaction. Après quoi, la première partie du spectacle étant terminée, la piste fut rendue aux danseurs. Il était onze heures et demie et Sylvie, doucement, sentait la panique l'envahir. Lenoir n'était toujours pas là. « Il ne viendra pas, pensa-t-elle. Tous ces types de la T. V. sont des rastaquères ! Et s'il ne vient pas, tout est fichu... Oh ! mais il me le paiera ! » Elle imaginait l'angoisse de Roméo et de ses copains, qui devaient, dans les coulisses, être à demi morts de trac. Et si je téléphonais à Martel ? Absurde, évidemment. A cette heure-ci, Martel devait être dans son lit et, de toutes façons, il ne pouvait plus rien faire.

— Tu danses ? proposa Gambier.

Il l'entraîna. Lui, il conservait tout son calme et c'était presque irritant.

— Je te dis qu'il ne viendra pas, Phil !

Il sourit :

— Pessimiste ! On en a encore pour près d'une demi-heure avant l'apparition de ton berger grec ! Et puis, même si Lenoir fait faux bond, quelle importance, puisque personne ne sait rien ?

— Comment, quelle importance ? Tu sais aussi bien que moi que le passage de Roméo au Tropic est en somme accessoire, et que je compte surtout sur... oh !

Elle se tut brusquement. Son visage s'éclaira. Gambier tourna la tête. Là-bas, les portes de la salle s'ouvraient toutes grandes et une dizaine d'hommes s'affairaient, maniant des caméras montées sur trépied, des projecteurs, des rouleaux de câbles électriques... Sylvie aperçut Lenoir.

— Ça y est, Phil ! Hourrah !

Dans son émoi, elle avait crié tout haut, fait un bond sur place, et les gens étonnés la regardait avec curiosité. Elle se mit à rire, prit Gambier par la main :

— Viens, on va voir ça de plus près...

Lenoir la reconnut tout de suite.

— Ravi de vous revoir, chère madame. Vous savez, vous nous donnez un mal épouvantable : nous arrivons de Saint-Tropez sans même avoir eu le temps de dîner,

nous avons eu une panne sur la route et, le comble...
Ah ! voici ce cher Soury. Comment allez-vous, mon
cher ?

Le duc de Cherston n'avait pas exagéré : le nommé
Soury n'était rien moins que sympathique, en dépit du
sourire artificiel qu'il se forçait à exhiber et qui découvrait deux dents en or. Il avait une tête de bouledogue
sournois, avec d'énormes bouffissures bleuâtres sous les
yeux et des poils noirs dans les oreilles. Il serra avec force la main de Lenoir :

— Quel plaisir de vous retrouver ici ! Et quel honneur pour mon établissement... Lenoir sourit :

— Voyons, mon cher, c'est bien normal. Peut-on venir
sur la Côte sans passer au Tropic ? Tu as assez de câble,
Louis ? Attention au son, il y a toujours un bourdonne-
ment... Pierre, veille à l'éclairage, c'est plein de fumée,
dans cette boîte !

Il avait l'œil à tout, surveillait son monde, ne prêtait
à Soury qu'une attention à peine courtoise.

— De toutes façons, poursuivait ce dernier, je vous
remercie. Il y a toutefois, si j'ose me permettre, une chose que je ne comprends pas très bien : pourquoi avoir
choisi ce soir, alors que dans quinze jours nous aurons
Paul Anka ?

Lenoir refit son sourire, regarda Sylvie, haussa les
épaules :

— Parce que, mon cher, comparé à votre vedette de
ce soir, il peut aller se coucher, Paul Anka !

— Vous voulez dire que ce jeune... que ce petit Roméo...

— ...est puissamment protégé, oui ! enchaîna Lenoir.
On s'intéresse beaucoup à lui. « On », vous comprenez ?
Si j'étais vous, mon bon ami, j'ouvrirais l'œil... A présent, vous m'excuserez, mais je suis ici pour travailler,
moi !

Il rejoignit ses techniciens, plantant là un Soury perplexe, inquiet, se demandant si Lenoir se payait sa tête
ou si vraiment... Auquel cas, il fallait faire vite, battre

134

le fer tant qu'il était chaud et ne pas laisser échapper la bonne affaire. Sylvie exultait. Adorant ce qu'elle brûlait dix minutes plus tôt, elle était prête à jurer que Lenoir était un type formidable et le plus génial des producteurs de T.V. du monde entier ! En jubilant, elle regagna sa table.

— Ces gars-là, demanda Magali, c'est la T. V. ?

— Oui, ma petite Magali !

— Vous les connaissez ?

— Oui, ma petite Magali !

— Bien sûr, dit le père Mougnasse, elle connaît tout le monde, cette petite dame !

Une ombre passa dans les yeux de Magali. Elle ouvrit la bouche comme pour poser une question, hésita, se tut. Evidemment ! Elle devait se demander pourquoi Sylvie, puisqu'elle connaissait les gens de la T. V., n'était pas intervenue auprès d'eux en faveur de Roméo ! Elle devait tout à coup lui en vouloir vaguement... Sylvie, qui devinait ses pensées, se paya le luxe de retourner — oh ! pour si peu de temps... — le fer dans la plaie :

— Beaucoup de monde, oui, père Mougnasse ; les relations, ça sert toujours, dans la vie ! Ce n'est pas en restant isolé, inconnu, qu'on réussit... Tenez, je connais même aussi, personnellement, la vedette qui à présent va paraître sur scène !

Magali se leva brusquement :

— Excusez-moi, dit-elle.

Elle se dirigea vers la porte, d'un pas rapide. « Aïe ! pensa Sylvie, je suis allée trop loin. Manquerait plus que ça qu'elle s'en aille, maintenant ! C'est qu'elle est capable de tout, cette tête de mule ! ». Sans autre explication, elle se leva à son tour, s'élança derrière Magali, la rattrapa dans le hall.

— Magali, où allez-vous ?

La jeune fille avait les larmes aux yeux. Son petit menton volontaire tremblait. Elle regarda Sylvie, longuement. Visiblement, elle ne comprenait pas. Il y avait

dans son regard une interrogation muette, surprise, douloureuse. Elle se raidit, fit un effort.

— Me recoiffer..., dit-elle. Et respirer un peu. On
étouffe, dans cette salle, vous ne trouvez pas ?

Sa voix sonnait faux. Quoi qu'elle en eût, elle ne parvenait pas à cacher tout à fait sa peine et sa soudaine
hostilité. Elle fit quelques pas dans le hall, s'assit sur la
banquette recouverte de velours noir, ouvrit son sac, prit
son peigne... Sylvie, debout devant elle, la regardait
avec tendresse. St tu savais, Magali, si tu savais ! Mais
tu es encore une petite fille passionnée, intransigeante,
incapable de dissimuler. Tu m'avais donné ta confiance
et, à la moindre alerte, tu doutes, tu me rejettes — et tu
souffres. Tu es un cristal fragile. Et tu ne demandes rien,
tu ne poses pas de questions, parce que tu es orgueilleu-
se. Tu fuis, tu te réfugies dans la solitude. Il faudra apprendre à avoir confiance, Magali. Ecoute, petite fille,
écoute... Ecoute, car voici venue l'une des plus belles
heures de ta vie... Dans le silence, une musique assourdie
s'élevait. Dans le silence, une voix assourdie commençait
de chanter...

> J'ai pensé qu'il valait mieux
> nous quitter
> sans un adieu...

Elle est devenue toute blanche. Ses yeux sont immenses. Mais elle n'y croit pas. Elle n'ose pas y croire, parce
qu'elle sait que c'est impossible. Elle est devenue toute
blanche et elle reste là, assise sur la banquette, dans le
grand hall désert, avec son petit sac ouvert sur ses ge-
noux et son peigne à la main. Elle pense que c'est une
illusion, une méprise. Non, elle ne pense rien. Elle
écoute.

> Que c'est loin où tu t'en vas
> Auras-tu jamais le temps
> de revenir...

Elle écoute cette voix qui ne ressemble à aucune autre
voix. Cette voix qu'elle reconnaîtrait, entre toutes, parmi
le plus grand tumulte. Alors, une terrible joie la frappe

136

au cœur, si violemment qu'elle a mal. Alors, elle regarde Sylvie, qui lui sourit. Alors, elle sait qu'elle peut en elle accueillir cette joie.

— Sylvie, je vous demande pardon...

— Chut ! sotte fille... Venez !

Elle met sa main dans la main de Sylvie et ensemble, lentement, elles se dirigent vers la salle.

Sylvie poussa la porte.

> *J'entendrai siffler ce train*
> *toute ma vie...*

Les applaudissements crépitèrent et Sylvie, entraînant Magali, se hâta vers la table. Le père Mougnasse, bouche bée, était transformé en statue de la stupéfaction. Sa femme joignait les mains comme pour une prière. Gambier adressa à Sylvie un petit clin d'œil. Sur la scène, au milieu du cercle de lumière, se tenaient les quatre garçons, vêtus de noir. Devant eux, tout en blanc, Roméo tenait le micro à deux mains. Il enchaîna presque sans attendre par le célèbre *Retiens la nuit*. C'est alors qu'il vit Magali. Leurs yeux se prirent. Ils se prirent comme des mains se prennent et ne se quittèrent plus. Pour eux le monde cessa d'exister. Ils étaient au centre d'un grand désert paisible et lumineux, au centre de leur évident amour, là où nul n'avait accès. Magali souriait faiblement, heureuse, bouche déclose. Et lui, le visage grave, ne chantait que pour elle. Mystérieuse, irrésistible complicité de l'amour ; muet dialogue ; invisibles racines nouées au plus profond des cœurs...

> *Retiens la nuit mon amour,*
> *jusqu'à la fin du monde...*

Jamais il n'avait chanté d'aussi bouleversante façon. Il avait oublié le Tropic et son trac. Il chantait avec son âme, pour sa Magali retrouvée. Quand il cessa de chanter, il y eut un long silence. Le public demeurait sous le charme. Ce fut le duc de Cherston qui donna le signal des applaudissements, vigoureusement et bruyamment appuyé par les gens qui se trouvaient à sa table. Roméo, qui devait chanter trois chansons en une demi-heure, fit mine d'aller rejoindre ses musiciens. Mais le public ne l'entendit pas de la sorte. Les gens se mirent à siffler, à hurler, à trépigner. Roméo hésitait, ne sachant ce qu'il devait faire. Alors M. Soury s'approcha vivement de lui et lui parla à l'oreille. Roméo, en souriant, revint devant le micro.

« Bravo » ! cria-t-on de toutes parts. Le tumulte s'apaisa. Successivement, le jeune garçon chanta toutes les chansons qu'il connaissait. La salle était à présent survoltée. Les caméras de la télévision ronronnaient sans arrêt. Ce n'était pas un succès : c'était un triomphe ! Sylvie se pencha à l'oreille du père Mougnasse :

— Alors, père Mougnasse ?

Le brave homme sursauta :

— Vé ! je n'en crois pas mes yeux, bonne mère ! Ce gamin... non, c'est pas croyable...

— Incroyable mais vrai ! Vous vous souvenez de votre pari, père Mougnasse ? « Le jour où il chantera au Tropic, je serai prêt à causer... » M'est avis que vous avez perdu, non ?

Il regarda Sylvie, soupira, hocha la tête. Puis il sourit largement :

— ... Mais avis, moi, que vous m'avez eu, hein ? Vous êtes une sacrée coquine, vous ! Mais je n'ai qu'une parole : ce qui est dit reste dit... On causera !

Magali mit sa petite main sur la grosse patte de son père. Son visage rayonnait. Le père et la fille, un instant, se regardèrent. Puis, ensemble, ils se sourirent...

— En-core, en-core, en-core ! réclamait la foule.

Roméo chanta sans arrêt durant près d'une heure. Il était exténué, en sueur, mais radieux. Quand il se tut, ayant épuisé tout son répertoire, il y eut un tel tonnerre d'applaudissements, un tel vacarme prolongé, qu'il sembla que le plafond de la salle dégringolait ! « C'est gagné, pensa Sylvie ; pourvu, à présent, que mes prévisions se réalisent... ». Roméo n'eut pas le loisir de rentrer en coulisses. Happé par la foule, entouré, tiraillé, il répondait à des tas de questions...

— Qu'est-ce qu'il attend pour venir me saluer ? grogna le père Mougnasse. Si tu allais me le chercher, Magali, au lieu de rester là comme une souche, hé ?

Légère comme un oiseau, elle s'élança...

■

La soirée continua. Roméo, assis entre Magali et Mme Mougnasse, buvant une coupe de champagne. Il n'avait pas du tout l'air rassuré de se trouver ainsi, pour la première fois, en face du père Mougnasse. Il faut dire que celui-ci s'amusait à prendre, exprès, son air le plus féroce ! Magali ne quittait Roméo des yeux que pour jeter furtivement un regard inquiet à son père. Cela dura un bon moment. Des jeunes femmes venaient demander un autographe à Roméo et il signait sur des agendas, sur des programmes, même sur des mouchoirs... Soury vint à son tour féliciter le jeune garçon :

— Compliments. Pour un début, ce n'est pas mal !

Il souriait avec une feinte bonhomie, l'air faussement détaché.

— A propos, si vous n'avez rien de mieux à faire, nous pourrions peut-être prolonger notre contrat jusqu'à la fin du mois... qu'en pensez-vous ?

Roméo, indécis, interrogea Sylvie du regard.

— Bien entendu, reprit Soury, on reverra les conditions. Je le dis toujours, il faut encourager les jeunes... Je double votre cachet, ça va ?

« Quel affreux personnage ! pensa Sylvie. Mais minute, papillon, je ne suis pas tombée de la dernière pluie, moi... »

— Non ! intervint-elle. Vous le multipliez par cinq, ce cachet ! Et pour les musiciens aussi, naturellement.

Soury la regarda d'un air furieux :

— Mais, madame...

— Il n'y a pas de mais qui tienne, cher monsieur : c'est à prendre ou à laisser. Et dépêchez-vous, car nous avons d'autres propositions ! Je crois que mon excellent ami Lenoir vous a prévenu, non ?

Soury hésita. Il fit la grimace, haussa les épaules :

— Je prends, dit-il.

Il tourna les talons et s'en fut.

Le père Mougnasse se mit à rire :

— Vous vous rendez compte, comme elle l'a mis dans sa poche ? C'est elle que j'aurais dû épouser : à l'heure qu'il est, je serais riche ! Tandis qu'à présent...

De nouveau, il soupira bruyamment. Puis, tout à trac :

— ...je ne puis guère compter que sur mon gendre !

Tout le monde, d'un coup, leva la tête.

— Ben quoi, reprit le père Mougnasse, qu'ai-je dit de si étonnant ? Mon gendre, il faut encore que je le trouve, pardi !

Ses yeux riaient malicieusement. Il bâilla.

— Dites-moi, les enfants, si on reparlait de tout cela demain ? Vous avez vu l'heure ? Les artistes, ça traîne au lit toute la journée, à ne rien faire. Mais moi, je travaille ; j'ai un vrai métier, moi !

— Un beau métier, d'ailleurs, dit Sylvie. Je connais un garçon qui s'intéresse à ce métier-là... Dans un an, il sera diplômé de l'école de Saint-Raphaël... Un nommé Roméo, ça vous dit quelque chose ?

Magali, surprise, regarda vivement Roméo. Le père Mougnasse fronçait les sourcils.

— C'est vrai, ça, mon garçon ?

Roméo sourit :

— C'est vrai, monsieur Mougnasse. Je n'avais rien dit à personne. Je ne voulais pas qu'on puisse croire que... que je... Bref, la chanson, la guitare, tout ça, c'est juste pour un petit temps, pour pouvoir mettre de l'argent de côté... Après, j'aimerais bien, si vous êtes d'accord... j'aimerais bien de pouvoir travailler avec vous !

Il avait dit tout cela d'une traite, sans reprendre haleine. Et à présent, gêné, il baissait la tête. Le père Mougnasse n'eut pas le temps de répondre. Un garçon de salle s'approchait de Roméo, l'informait qu'on l'appelait au téléphone, de Paris.

— De Paris ? s'étonna le jeune homme.

« Ça y est ! pensa Sylvie, je suis sûre que c'est ça, que le poisson a mordu à l'hameçon... Cette fois, c'est gagné sur toute la ligne ! »

— Allez-y, Roméo, dit-elle, je crois savoir qui c'est... Dites que vous réfléchirez, ne vous engagez pas !

— Mais ?...

— Allez-y, vous dis-je !

Il y alla. Il revint quelques minutes plus tard, un grand sourire sur les lèvres.

— C'est un gars qui m'a vu à la T. V., expliqua-t-il, un gars de chez Philips... Il m'a demandé si j'étais d'accord d'enregistrer un ou peut-être plusieurs disques chez eux... Il va venir me voir...

Un gars de chez Philips... Magali, émerveillée, n'en croyait pas ses oreilles. Elle battit des mains comme une petite fille. Puis, d'un élan irrésistible, elle se jeta au cou de Roméo.

— Holà ! dit le père Mougnasse, en voilà des manières, comme ça, devant tout le monde... Un peu de patience, bonne mère ! vous avez toute la vie devant vous, pour vous embrasser...

L'orchestre jouait un slow. Sur la piste, les couples se mouvaient lentement. De loin, le duc de Cherston envoya à Sylvie un petit salut amical. Elle pensa que, décidément, ce célibataire endurci était toujours mêlé à de merveilleuses histoires de mariage...

10

Gambier, énervé, dansait d'un pied sur l'autre, tournait en rond dans la chambre, trébuchait contre les valises. Sylvie s'assit froidement sur le lit :

— C'est bien simple, dit-elle, ou tu vas voir au jardin si je n'y suis pas, ou je ne continue pas à faire les bagages !

Il haussa les épaules avec agacement :

— Tu as vu l'heure ? Sept heures — et on devait partir à six ; et on doit encore déjeuner ! Ne pourrais-tu, de temps à autre, avoir le sens des réalités ?

Pour toute réponse, elle regarda le plafond et se mit à fredonner. Gambier, exaspéré, sortit. Elle sourit et se remit au travail. Sacré Philippe, va ! Avec lui, c'est toujours pareil : sous prétexte qu'il doit faire sept cents kilomètres et tenir sa moyenne, il vous obligerait à prendre la route à minuit et à foncer dans la nature sans jamais vous arrêter, fût-ce pour manger ou pour satisfaire un très légitime (et très urgent !) petit besoin... Moralité : on arrive à l'étape au début de l'après-midi, de préférence dans un bled perdu, et on reste là à ne rien faire et à s'ennuyer en attendant l'heure du coucher. C'est cela que le cher homme appelle avoir le sens des réalités ! Inutile d'essayer de raisonner, de discuter : il est, dans ces cas-là, plus têtu qu'un mulet. Ainsi, aujourd'hui, il est debout depuis quatre heures du matin. Du moins, c'est ce qu'il croit, car Sylvie a pris soin, hier soir, de retarder sa montre et, en fait, il s'est levé à cinq heures. S'il le savait, il en ferait sûrement une maladie ! Il s'est levé, a fait rapidement sa toilette et sa petite valise puis, sous prétexte d'activer les choses, s'est mis à tout bouleverser.

— Tes chaussures blanches, tu les mets dans le sac ou dans la valise ? Et ce short, qu'est-ce que je fais avec ce short ? Zut, j'ai mis ton peignoir dans le fond et je crois que je ferais mieux...

— Tu ferais surtout beaucoup mieux, mon cœur, de ne toucher à rien et de me laisser m'occuper, moi-même, de mes affaires !

Il avait un petit sourire supérieur :

— Sans blague ? Faire une valise, crois-moi, c'est tout un art ! Il faut de l'ordre, de la méthode et de la logique, toutes qualités qui te font — permets-moi de te le dire — singulièrement défaut... Moi, ma chère, à l'armée, j'ai appris à faire tenir, dans un sac tout petit comme ça, un équipement grand comme ça !

Pour appuyer son discours, il ouvrait les bras, heurtait la valise qui se trouvait perchée en précaire équilibre sur la table et flanquait tout par terre, pêle-mêle...

— A l'armée, dit calmement Sylvie, ils ont une drôle de conception de l'ordre, de la méthode et de la logique ! Ça ne m'étonne pas que tu aies eu un rapide avancement ! Qu'est-ce que tu fabriques là ?

Gambier, à plat ventre, rampait sous le lit :

— Ben... tu le vois bien : je ramasse !

— Et si tu restais sagement là-dessous en attendant que j'aie fini, tu ne crois pas que ça irait plus vite ?

— At... choum ! aïe, aïe !

— A quoi joues-tu, mon chéri ?

Il grogna furieusement, se mit à gigoter et réussit, après de longs et pénibles efforts, à s'extraire de ces profondeurs. Il se releva en se massant vigoureusement le front. Sylvie riait.

— Tu peux bien rire, grommela-t-il, essaie un peu, toi, d'éternuer quand tu as la tête coincée sous un lit ! Je me suis cogné le front contre je ne sais quelle stupide ferraille et...

— Et c'est la ferraille qui a gagné ! Remarque que ça m'étonne... Va t'asseoir à la fenêtre pour te remettre et surtout, pour l'amour du Ciel, ne bouge plus !

Il obéit, tout en continuant de se frictionner avec une sollicitude attendrie. Sylvie se remit au travail. Cette heureuse accalmie dura cinq ou six minutes, après quoi Gambier, n'y tenant plus, recommença de se lamenter et de s'agiter :

— Tu ne pourrais pas te dépêcher un peu ? Tu as vu l'heure ? Pourquoi ne mets-tu pas ta brosse à dents tout de suite à sa place ?

— Parce que je vais m'en servir pour te crever un œil ! Et même les deux, si tu continues...

C'est alors qu'elle avait résolu, pour avoir la paix, de l'envoyer voir au jardin si elle ne s'y trouvait pas. Après quoi, enfin débarrassée de son grand corps encombrant et de ses judicieux conseils, elle termina ses bagages en quelques minutes, explora les placards pour vérifier qu'elle n'avait rien oublié et se prépara à descendre. C'est à ce moment que Gambier fit irruption dans la chambre, l'air complètement affolé :

— Tu sais l'heure qu'il est ?

— Heu... non ; vers les sept heures et quart, sans doute ?

— Justement, non ! Il est huit heures vingt ! Huit heures vingt, tu te rends compte ? Je ne sais pas comment ça se fait : ma montre retardait d'une heure !

— Tu sais, les montres, c'est comme les femmes : c'est capricieux !

Elle avait un petit sourire ambigu. Il la regarda avec attention :

— Dis donc, toi... Tu ne l'aurais pas aidée un peu, par hasard, à retarder ?

— Moi ? Comment peux-tu penser une chose pareille, mon chéri ? Aide-moi, plutôt...

Ils descendirent à la salle à manger. Le père Mougnasse tint à les servir lui-même.

— Alors, comme ça, on nous quitte ?

— Hélas, père Mougnasse, les meilleures choses ont une fin...

— Une faim de loup, même ! intervint Gambier. Tu veux me passer le beurre ?

Il attaqua vigoureusement son croissant. Le père Mougnasse regardait Sylvie avec une sorte d'attendrissement ému.

— Vous reviendrez, hé ? demanda-t-il. D'ailleurs, de toutes manières, on compte sur vous pour la noce !

Sylvie sourit :

— Content ?

— Bien mieux que ça : heureux. Vous nous avez rendu le bonheur, vous, comme une bonne fée... Je m'en souviendrai longtemps, de la soirée d'avant-hier, au Tropic. Un brave petit, ce Roméo. D'ailleurs, je l'avais toujours dit, moi. Seulement, voilà : il y a les contingences... Ma femme, elle voulait pour sa fille un parti solide, vous comprenez.

Le plus fort, c'est qu'il était absolument sincère ! Sylvie, amusée, pensait que l'inconscience des hommes, parfois, dépasse l'entendement...

Gambier vida sa tasse de café, s'essuya la bouche, se leva :

146

— En route ! Car à présent, il s'agit de pousser sur le champignon... Et surtout, père Mougnasse, n'oubliez pas d'embrasser Magali pour moi.

Juste à ce moment, Magali entra, suivie de Mme Mougnasse. Elle était en pyjama. Elle avait le visage encore un peu bouffi de sommeil. Ses yeux riaient.

— Et si vous les faisiez vous-même, vos commissions ? proposa le père Mougnasse.

Gambier, joyeusement, posa sur les joues de la jeune fille deux gros baisers sonores. Tant qu'il y était, il embrassa aussi Mme Mougnasse qui, du coup, rougit comme une petite jeune fille timide ! Magali, spontanément, se jeta dans les bras de Sylvie.

— Merci, dit-elle très vite, merci pour tout. De ma vie, je n'oublierai jamais. C'est si merveilleux que par moments j'ai l'impression que je rêve ! Vous ne pouvez pas savoir...

Sylvie sourit :

— Mais si, je sais, Magali... J'ai aussi mon Roméo. Seulement lui, il se nomme Philippe ; et si je ne me dépêche pas, il va faire la tête de Barbe-Bleue pendant sept cents kilomètres ! Bonne chance, Magali !

Elle s'élança vers la voiture. Le moteur ronflait déjà. Gambier démarra tout de suite. D'abord parce qu'il était pressé, et ensuite parce qu'il avait horreur des adieux prolongés. La voiture franchit la grille du jardin. Sylvie se retourna. Sur le seuil, le père Mougnasse, sa femme et Magali agitaient la main... Alors, Gambier accéléra. Dès qu'il fut sur la grand-route, il poussa à fond.

La mer avait des reflets vert pâle. Le soleil montait dans le ciel. Un grand épagneul brun courait sur la plage. Une mélancolie légère étreignait le cœur de Sylvie...

Gambier freina brusquement et les pneus hurlèrent. Du talus, un homme avait bondi devant la voiture.

— Non, s'indigna Gambier, mais quelle est cette espèce de...

Il se tut. Roméo se relevait en souplesse, s'approchait Il haletait.

— Excusez-moi, dit-il. J'ai bien failli vous manquer...
Mais je tenais à vous dire au revoir...

Il hésita :

— ... et merci !

Il riait. Il clignait à demi les yeux, à cause du soleil.
Avec sa peau brune, ses dents blanches, sa mince sil-
houette de jeune athlète, il était l'image même de la vie
ardente et généreuse.

— Notre première fille, reprit-il tout à trac, on a décidé qu'on l'appellerait Sylvie !

Pouvait-il, mieux, exprimer sa gratitude ? Sylvie,
émue, sentit qu'elle allait bêtement se mettre à pleurer.
Elle renifla deux ou trois fois, à petits coups ; sans un
mot, elle tendit la main à Roméo. Il prit cette main, la
serra avec force.

— Adieu, dit-il, revenez vite !

Gambier, doucement, embraya. Lui aussi, il était ému.
Il pensa qu'il venait de vivre les plus belles vacances de
sa vie. Il attira contre son épaule le visage de Sylvie.
Une petite Sylvie qui aurait l'accent du Midi, qui pour-
suivrait les cigales parmi les oliviers, qui emplirait de
son rire l'hôtel du père Mougnasse...

Un peu avant Saint-Raphaël, Gambier prit à gauche
la route de Fréjus. Après le passage à niveau, il accéléra
progressivement.

Une petite Sylvie qui aura, sous le grand ciel bleu,
l'inusable fraîcheur d'âme de Sylvie...

FIN

MAGAZINE Mademoiselle

N° 31

LES MAGAZINES FEMININS ET L'HISTOIRE

La presse féminine, née il y a plus de deux siècles, aborde des problèmes de toujours : la mode, la vie féminine, les droits de la femme et ce qu'il faut faire pour plaire aux hommes. Depuis les journaux *des dames et des demoiselles* des périodiques sont nés, ont vécu et sont morts, d'autres les ont remplacés.

Cette presse passionnante par sa recherche du « dernier cri » dans l'art de se vêtir, de se tenir, de vivre se double presque toujours d'un conservatisme moral très sérieux. En effet, les périodiques féminins satiriques ou humoristiques ne sont pas représentés dans le vaste programme de la presse féminine.

De grands écrivains ont même honoré ses rangs, tel

149

Mallarmé qui composa toutes les rubriques de *La dernière mode*, en 1874, signant les articles de noms féminins aussi divers que fantaisistes. Cependant, il ne faut pas minimiser l'effort des premières femmes journalistes, qui, sous la risée de leurs confrères des journaux satiriques de l'époque, voulurent donner à leurs sœurs des conseils en matière de mode, de vie, de morale, d'amour, de maternité ainsi que de droits et devoirs. Tous les périodiques féminins, qu'ils traitent d'ouvrages de dames, de savoir-vivre ou de colifichets n'ont, à cette époque, jamais perdu le côté moralisateur qui les caractérise encore souvent.

Les centres d'intérêts sont à diviser en deux groupes distincts : la mode et les droits.

La mode. Les premiers journaux féminins, destinés aux aristocrates, qui à cette époque étaient les seules à pouvoir lire, aidaient les femmes à évoluer dans le monde masculin. Ce n'était que chiffons et chroniques mondaines, le tout émaillé de feuilletons galants. Plus tard, la lecture n'étant plus réservée aux seules aristocrates, la chronique des théâtres et des opéras céda le pas aux recettes de cuisine.

Les droits. Nés pour la plupart de la Révolution, ils dénotent du souci des femmes à éduquer leurs sœurs et à leur faire prendre conscience de leurs droits : droit aux études, au travail rémunéré, au salaire égal, au divorce, à la recherche de paternité pour les jeunes filles délaissées avec un enfant. Rédigés en majeure partie par des femmes, à l'exception du *Droit des femmes*, de Léon Richer, ces journaux ne connurent pas une existence très longue et beaucoup s'éteignirent avec les rêves révolutionnaires, d'autres subsistèrent et donnèrent naissance à la presse féministe.

Les journaux féminins, toujours périodiques, eurent des tirages très difficiles à déterminer. Les premiers étaient souscrits par abonnements ; ensuite certains établirent deux sortes d'abonnements (pour l'édition illustrée et pour l'édition simple). Enfin débuta la vente par titres d'abord dans les capitales.

Le Journal des Dames (1759-1778) n'est pas le premier vrai périodique féminin, avant lui existait le *Courrier de la nouveauté, feuille hebdomadaire à l'usage des Dames* (1758) dont il ne reste plus guère que le prospectus. D'abord littéraire, il devint ensuite journal de modes et comportait en plus de la mode féminine et masculine, et d'un certain nombre de chroniques, une masse d'annonces publicitaires de la sage-femme X à la pommade Y, en passant par le corset Z.

Ensuite parut le *Cabinet des Modes*, célèbre par ses planches luxueuses, ses échos sur la vie de la Cour et ses pièces en vers. Il vécut de 1785 à la Révolution. Celle-ci marque en effet une période mouvementée dans la presse féminine ; des citoyennes convaincues rédigeaient des articles incendiaires, que n'appréciait pas toujours Robespierre, d'autres dénonçaient le luxe des aristocrates, critiquant les modes passées. Célèbre aussi par la richesse de ses planches, *Le Journal des Dames*

et des Modes qui fut la propriété de l'abbé La Mésangère donne une vue très étendue de la mode masculine et féminine sous le Directoire. La Restauration vit naître une profusion de magazines féminins futiles et mondains, philosophiques et badins qui ne pouvaient intéresser les centaines de milliers de femmes illettrées. Ensuite furent fondés des périodiques consacrés à la libération de la femme, presque tous furent saisis, interdits... Tels *La Femme Libre*, plus modéré *Le Journal des Femmes*, *La Voix des Femmes* qui parlaient du rôle de la femme, de la paix... Il est curieux de remarquer qu'au même moment paraissaient des magazines tels *Le Journal des Demoiselles*, *Le Petit Courrier des Dames* et même *La Toilette de Psyché*, célèbre par ses poupées de carton couvertes de robes de papier collé. *La Gazette des Femmes* essaya de se maintenir entre ces deux groupes. Après 1851, les journaux féministes disparurent et sous le Prince-Président, il faut citer *Le Conseiller des Dames* qui groupait des textes philosophiques, des conseils ménagers, des ouvrages précieux et même bon nombre de romans (Victor Hugo et Balzac figurèrent dans ses colonnes). En 1869 fut lancé *Le Droit des Femmes*, hebdomadaire qui subsista 20 ans, et qui, malgré l'accueil ironique qu'il reçut, parvint à inspirer plusieurs projets de lois pour l'amélioration de la condition de la femme. Enfin, à partir de 1872 la presse féminine se transforma en une presse à grand tirage. Et il faut retenir le nom de l'un des plus grands organes de presse féminin : *La Fronde* qui, fondé par Marguerite Durand, se présentait sous la forme d'un quotidien d'information, entièrement réalisé par des femmes. *La Fronde* est le point de départ de la presse féminine et le premier organe sérieux et respecté de celle-ci. Pour la première fois on reconnut aux femmes des qualités de journalistes.

Mademoiselle
PETITS PLATS

● **Aïlloli.**

> *2 œufs — 1/2 l d'huile d'olive — 1 tranche de pain-mie — 6 gousses d'ail — sel et poivre — 1 citron.*

Piler les gousses d'ail au mortier. Ajouter les jaunes d'œufs, du sel et du poivre. Petit à petit, sans cesser de remuer, un demi-litre d'huile d'olive. On obtient ainsi cette mayonnaise épaisse, l'aïlloli qui, selon le mot de Mistral concentre dans son essence « la force, l'allégresse du soleil de Provence ». Terminer avec un filet de citron.

L'aïlloli est une sauce que l'on sert notamment avec de la morue, des pommes de terre bouillies, des légumes du pot, des œufs durs, du poisson froid, des encornets, etc...

● **Omelette aux artichauts.**

> *4 très petits artichauts — 6 œufs — huile, sel, poivre.*

Oter les premières feuilles et les pointes de très petits artichauts. Les couper en six dans la largeur et les faire revenir à l'huile pendant une dizaine de minutes.

Battre des œufs. Saler et poivrer. Verser sur les artichauts et faire une omelette épaisse et bien ronde. Peut se manger froide.

Extrait du Marabout Service N° 19.

LE COURRIER DE *Mademoiselle*

Mademoiselle,

Seriez-vous assez aimable de me faire savoir si l'on peut s'abonner à la collection « Marabout Mademoiselle ». En vous remerciant, croyez Mademoiselle, à mes salutations distinguées.

Henri P. Bonnert.

Cher lecteur,

Je vous signale que nous n'avons pas de services d'abonnements. Je vous conseille néanmoins de vous adresser à votre libraire, peut-être qu'en vous arrangeant avec lui, vous parviendrez à obtenir un abonnement à la collection Mademoiselle.

Mademoiselle.

OU ADRESSER VOTRE CORRESPONDANCE ?

A Mademoiselle Magazine :

France   : 118, rue de Vaugirard, Paris, VI° ;
Belgique : 59, rue Montoyer, Bruxelles 4 ;
Suisse   : 1, rue de la Paix, Lausanne ;
Canada : 226, Est, Christophe Colomb, Québec.

Le prochain Mademoiselle

UN MARI A SINGAPOUR
de
Ans Van Breda

DES PRESSES DE GERARD & C°,
65, rue de Limbourg, Verviers (Belgique)

marabout mademoiselle ⚜

LISTE DES TITRES DISPONIBLES

marabout mademoiselle ❦

marabout mademoiselle ♓

marabout service ♈

marabout service 🌷

marabout service ❦